OPERATION
ATLANTIDE

DANS LA MÊME COLLECTION

HENRI VERNES

OPERATION ATLANTIDE

BOB MORANE

FLEUVE NOIR

Liste des aventures de Bob Morane contre l'OMBRE JAUNE dans leur ordre chronologique. Les titres précédés d'une astérisque (*) sont parus aux Éditions du Fleuve Noir. Les autres paraîtront par la suite, également dans leur ordre chronologique.

© 1958 Henri Vernes.
© 1990 Éditions Fleuve Noir.

ISBN 2-265-04380-X

MORANE (Robert, dit Bob). Né un 16 octobre. Trente-trois ans. Taille : 1,85 m. Poids : plus ou moins 85 kg. Cheveux : noirs et drus. Yeux : gris d'acier. Nyctalope. Études à Polytechnique. Ingénieur. Commandant d'escadrille en disponibilité dans l'Armée de l'air. Sa curiosité et son sens de la justice lui font parcourir la terre entière. Il lui arrive de collaborer avec les services secrets mais seulement quand les raisons qu'on lui fournit lui paraissent valables. Reporter occasionnel à la revue *Reflets*. Pratique en expert la plupart des techniques de combat. Enragé collectionneur. Aime se plonger dans la vie sauvage et entrer en contact avec les peuples dit « primitifs ». Ami et protecteur de la nature. Ses ports d'attache sont le quai Voltaire à Paris et un vieux monastère en Dordogne.

BALLANTINE (William, dit Bill). Géant écossais, doué d'une force colossale. Sensiblement du même âge que Bob Morane, dont il est l'ami inséparable. Taille : près de deux mètres. Poids : entre 120 et 130 kg suivant son régime. Cheveux : roux et désordonnés. Yeux : bleu-vert. Patriote, il boit plus que volontiers du whisky écossais. Superstitieux. Se consacre à son élevage de poulets, en Écosse, où il possède un vieux castel, mais il passe le plus clair de son temps à courir le monde avec Morane. Bien que parlant parfaitement le français — avec un fort accent écossais cependant —, il prend plaisir à se servir souvent, suivant son humeur, d'un langage ponctué de mots d'argot. Le « tu » n'existant pas en anglais, il n'a jamais pu perdre l'habitude de vouvoyer Morane, ni de l'appeler « commandant », tout d'abord ironiquement, par habitude ensuite.

CHAPITRE PREMIER

Le petit cotre louvoyait lentement à travers l'étendue bleue de la mer des Caraïbes, en direction du sud. A sa gauche, très près, d'un bout de l'horizon à l'autre, les îles Caicos, archipel du sud-est des Bahamas, défilaient, gros paquets de verdure posés sur l'étendue miroitante des flots.

Assis à l'arrière, l'homme à demi nu qui tenait la barre d'une main molle étudiait avec attention les rivages, comme cherchant une terre où aborder. Bronzé, les muscles souples et bien marqués sous la peau, le visage à la fois ouvert et tendu, avec des yeux plissés de scruteur d'infini, il faisait songer à ces navigateurs antiques partis seuls, sur des coquilles de noix, à la recherche de terres inconnues. Seuls, ses cheveux sombres et drus conféraient un peu de modernisme à sa silhouette.

Tout près, une île se détachait à présent, frangée de cocotiers avec, à son centre, la classique montagne en forme de pain de sucre. En vain, l'homme inspecta le rivage et les flancs, couverts de végétation, du piton, n'y découvrit aucune trace d'habitation. Il sourit et dit à haute voix, se parlant à lui-même selon la vieille habitude des solitaires :

— Mon vieux Bob, voilà peut-être ce que tu cherches. Une île déserte où jouer les Robinson pendant un mois ou deux...

Ce n'était pas la première fois que Bob Morane visitait les Antilles. De ses voyages précédents, il avait gardé la nostalgie des petites îles entrevues au passage et auxquelles nul bateau de croisière n'abordait jamais, sur lesquelles aucun avion ne se posait. Cette fois, à Nassau, il avait acheté, pour quelques centaines de livres, ce petit cotre dont le propriétaire s'était lassé, et il était descendu vers les îles Caicos pour y trouver un peu de solitude sous les palmes d'une terre vierge, se replonger dans la paix des origines avec, pour seul passe-temps, la pêche sous-marine et la récolte des noix de coco.

D'une main sûre, Morane guidait à présent le cotre vers une étroite baie, bordée par de hauts cocotiers poussant le long d'une plage de sable gris.

Penché par-dessus le bordage, Bob scrutait la mer devant lui, à l'affût des zones d'eau claire indiquant la présence des récifs de coraux. Ces récifs semblaient nombreux, mais le petit voilier, mesurant sept mètres à peine, possédait un très faible tirant d'eau, cela lui permettait de se glis-

12

ser partout sans courir le risque de s'échouer ou de se faire éventrer.

Arrivé à une vingtaine de mètres de la plage, Morane abattit les voiles et mouilla les ancres qui mordirent aussitôt sur le fond de corail. Le cotre s'immobilisa et Bob jeta un long regard autour de lui, sur ce qui, il l'espérait, serait son domaine exclusif au cours des jours à venir. Mais, par-delà la frange des photogéniques cocotiers, il ne distinguait aucune présence humaine. Pour s'assurer que l'île était bien déserte, il mit à l'eau le petit dinghy de caoutchouc et pagaya en direction de la plage. Au passage, il pouvait apercevoir à travers l'eau claire et peu profonde les ramures féeriques des massifs coralliens entre lesquels filait toute une faune de poissons multicolores.

Le dinghy toucha la grève et Morane le tira sur le sable gris, fait de lave pulvérisée. Rapidement, il se dirigea vers les cocotiers et les dépassa. Seuls, quelques gros crabes terrestres filèrent à son approche, mais il n'aperçut aucune habitation, ni traces de présence humaine. Comme l'après-midi était déjà avancé, il remit au lendemain le plaisir d'explorer l'îlot, dont tout l'intérieur semblait d'ailleurs recouvert d'une végétation épaisse.

De toute façon, si cet endroit était habité, il aurait aperçu déjà des canots de pêcheurs. Cette petite anse ferait un port idéal. Sans doute n'y avait-il ni source, ni lac, ni rivière, ce qui avait empêché les hommes de s'y fixer. Pour sa part,

Bob possédait heureusement une bonne provision d'eau douce à bord, et il y avait les noix de coco. Pour l'instant, le plus pressé était de se tirer une bonne friture de la lagune pour le repas du soir...

Après avoir regagné le voilier, Morane chaussa les palmes de caoutchouc, se fixa le masque de plongée sur le visage, emboucha le tuba, et le fusil sous-marin à la main, il se laissa couler sous les eaux vertes de la baie, entre les massifs tourmentés de madrépores. Un quart d'heure plus tard, il regagnait le voilier avec un brochet de mer de plusieurs livres.

La nuit était tout à fait tombée quand Morane termina son repas, arrosé du lait frais d'une noix de coco. La lumière de la lune, moirant les eaux de la petite anse, et les silhouettes en ombres chinoises des cocotiers donnaient à l'endroit un aspect de carte postale. Pendant un long moment, Bob goûta cette paix nocturne qu'aucun bruit ne venait troubler. Ensuite, il s'étendit sur son matelas pneumatique et, doucement bercé par la houle, se laissa sombrer dans le sommeil.

Levé dès l'aube, le lendemain, Bob Morane entreprit d'explorer l'île. Il emportait seulement avec lui un sac rempli de quelques provisions, une gourde pleine d'eau et une machette pour se frayer un chemin à travers la végétation de l'intérieur. Comme les îles des Antilles ne renferment aucune espèce d'animaux dangereux, sauf de rares serpents venimeux, il ne s'était pas muni d'arme. D'autre part si, contre toute apparence, l'îlot se révélait habité, Bob savait n'avoir rien à redouter de ses habitants.

Passé la frange des cocotiers, la jungle se referma sur lui. Une jungle assez clairsemée, composée surtout de fougères et de plantes grasses. La marche était aisée. Parfois, à travers le tapis d'humus et de mousse recouvrant le sol, de longues bandes de lave apparaissaient.

Jadis, cette petite terre avait peut-être fait partie d'un massif volcanique cernant une grande île, ou un morceau de continent soudé à l'Amérique centrale. Un beau jour, la grande île en question, ou le morceau de continent, s'était effondré sous l'océan et les sommets du massif montagneux avaient formé un chapelet d'îles : les actuelles Antilles...

Morane savait que cette théorie sur la formation des îles Caraïbes avait cinquante chances sur cent, sinon davantage, d'être erronée, aussi ne persévéra-t-il pas dans cette voie. Au fur et à mesure que le soleil montait dans le ciel, la chaleur devenait d'ailleurs de plus en plus lourde, et cela n'était guère propice à la pensée.

Continuant à progresser à travers la jungle, Bob était parvenu au pied du piton en forme de pain de sucre occupant le centre de l'îlot. Les flancs de la montagne se trouvaient eux-mêmes recouverts d'une végétation plus ou moins touffue, et Morane savait n'avoir rien à trouver à son sommet. Pourtant, de là, il découvrirait l'île sur toute son étendue. Il pourrait se rendre compte ainsi si, oui ou non, elle était habitée.

Lentement, il se mit à grimper, se servant de sa machette en guise de canne, s'agrippant aux branches et aux racines. Il faisait de plus en plus chaud et cette gymnastique ne tarda pas à le tremper de sueur. Malgré cela, il continua son ascension. Soudain, comme il n'était plus qu'à quelques mètres à peine du sommet, une détonation sèche, suivie de deux autres, attira son attention. Il pensa :

« On dirait qu'on tire des coups de feu par ici. Mon paradis terrestre serait-il habité ? »

Ensuite, il songea que certains bois des tropiques, se gorgeant d'humidité au cours de la nuit, émettaient, en se desséchant et en se contractant sous les rayons brûlants du soleil, des bruits ressemblant à s'y méprendre à ceux d'une arme à feu. Déjà, à plusieurs reprises au cours de son existence de coureur de brousse, il avait été abusé par un phénomène de ce genre...

Reprenant son escalade, Bob ne tarda pas à prendre pied sur une étroite terrasse rocheuse, large de quelques mètres à peine. De là, il dominait tous les alentours, jusqu'aux îles voisines qui semblaient voguer sur le gigantesque baquet d'indigo de la mer. Il poussa un cri de déception. A ses pieds, plusieurs maisons se dressaient au

16

bord de la plage, juste derrière l'un des promontoires enserrant la petite baie au fond de laquelle le cotre se trouvait ancré.

« Dire, pensa Bob, que je me suis envoyé tout ce chemin, alors qu'il me suffisait de gravir le promontoire pour apercevoir ces maudites bicoques... C'était donc très probablement des coups de feu que j'ai entendus tout à l'heure... Allons, adieu veaux, vaches, cochons, couvées et île déserte ! »

Quelque chose, non loin des habitations, attira son attention. Une sorte de miroitement provenant d'une étroite faille descendant en pente douce vers la mer. D'où il se trouvait, à demi aveuglé par le soleil, Bob ne pouvait discerner la nature exacte de l'objet provoquant cette lueur. On eût dit la carlingue d'un avion amputé de ses ailes et dont le revêtement de duralumin brillait d'un éclat argenté...

Déjà la curiosité empoignait Morane, qui en oubliait sa déception.

— Je dois en avoir le cœur net, dit-il à haute voix. Cette chose métallique me paraît aussi peu à sa place sur cette île qu'un camembert bien fait au milieu d'une piste de danse...

Lentement, il se mit à redescendre vers la mer.

CHAPITRE II

Au bas du promontoire, les habitations, aper-
çues du haut du piton par Morane, se découpaient sur un fond vert de palmes. Cinq ou six
grandes bâtisses, recouvertes de tôles ondulées
passées au minium et groupées par paires, suivant un ordre parfaitement géométrique.

Telles quelles, ces maisons ne possédaient rien
de bien extraordinaire. Ce n'était pas elles qui
intéressaient Bob, mais plutôt cette forme de
métal brillant au fond de la faille menant à la
mer.

D'un pas rapide, Morane s'approcha de la
faille. Là, sous lui, il apercevait un étrange engin,
long d'une quinzaine de mètres et dont l'avant
s'arrondissait en fer à cheval. L'arrière allait en
s'effilant et se terminait par un tube, long de
deux mètres environ, rappelant une tuyère de
réacteur et supportant un grand aileron vertical.
Vu en plan, l'appareil avait vaguement la forme
d'une gigantesque raquette de tennis dont on

aurait considérablement écourté le manche. De profil, il prenait une forme semi-ovoïde. Deux larges baies vitrées superposées à l'avant de l'engin indiquaient que celui-ci possédait deux étages. Au-dessus de la baie inférieure, un nom, *Trilobite,* était inscrit en lettres noires.

« *Trilobite !* pensa Morane. C'est en effet bien à un de ces crustacés de l'ère primaire ou, mieux encore, à une limule, que ressemble cette étrange machine. Elle pourrait faire songer vaguement aussi à une soucoupe volante. Allons voir de plus près. Cela doit valoir le déplacement... »

Sans se soucier s'il était surveillé ou non, Bob Morane se laissa glisser dans la faille et s'approcha du *Trilobite.* De près, l'engin lui paraissait plus monstrueux encore. Il le toucha et il lui parut construit d'un métal inconnu, possédant un peu l'apparence du duralumin mais devant être cependant beaucoup plus dur. Ce n'était pourtant ni du duralumin, ni de l'acier. Morane connaissait assez les métaux pour se faire une idée. Il n'était pas ingénieur pour rien et, s'il s'était laissé aller à son imagination, il aurait décrété aussitôt que ce monstre mécanique n'était pas d'origine terrestre...

De plus en plus intrigué, Bob passa à une inspection détaillée de l'engin. A l'avant, une lourde lame de métal, semblable à celle d'un bulldozer, devait servir à écarter tous les obstacles lors de l'avance. De chaque côté de la coque, deux renflements recouvraient presque totalement de puissantes chenilles construites dans le même métal que la coque elle-même.

« Cette lame de bulldozer et ces chenilles, pensa Morane, tendent à prouver qu'il s'agit d'un engin terrestre, destiné à progresser sur le sol. Mais je veux bien être pendu par les pouces si je devine à quel usage peut servir un tank aussi monumental, surtout sur une petite île perdue comme celle-ci... »

Morane avait à présent fait presque complètement le tour du *Trilobite*. Dans les flancs de l'appareil, une porte ronde et étroite s'ouvrait. Morane fit jouer le volant de fermeture et pénétra à l'intérieur d'une petite salle au plafond bas, garnie de bancs et où il éprouvait de la peine à se tenir debout. Devant lui, il y avait une seconde porte, ronde également, et fermée par des joints étanches.

« Cela m'a tout l'air d'un sas, songea encore Morane. Mais continuons notre visite. Nous ne tarderons pas à savoir à quoi sert ce mystérieux crustacé de métal. »

Il fit jouer le volant assurant la fermeture de la seconde porte et pénétra dans une salle rectangulaire, large de quatre mètres sur cinq de long environ. L'un des panneaux était occupé par une série de couchettes escamotables ; dans un coin, il y avait une table métallique et des chaises fixées au plancher recouvert d'un épais enduit de matière plastique. Dans le fond, trois portes rectangulaires s'ouvraient. Par une des grandes

20

baies vitrées occupant tout l'avant du *Trilobite*, Bob pouvait apercevoir la mer, miroitant sous les rayons verticaux du soleil.

Au centre de la salle, une échelle métallique menait à une ouverture ronde pratiquée dans le plafond bas. « Sans doute est-ce là-haut que se trouve le poste de pilotage, pensa à nouveau Morane. Au point où nous en sommes, autant risquer d'aller y jeter un coup d'œil. »

Déjà, il posait le pied sur le premier échelon quand, brusquement, il s'immobilisa. Par les portes du sas, laissées ouvertes, un bruit de voix lui parvenait. Il ne pouvait distinguer les mots, mais il devina néanmoins que les survenants parlaient anglais. « S'ils me surprennent ici, songea-t-il, je suis cuit ! » Il devinait en effet que, si les mystérieux propriétaires du *Trilobite* n'avaient rien eu à cacher, ils ne seraient pas venus s'isoler sur cette île perdue.

Le bruit de voix se faisait de plus en plus proche. Les hommes devaient maintenant avoir atteint l'ouverture extérieure du sas. Avisant les trois portes rectangulaires, au fond de la salle, Bob bondit en avant et tenta d'ouvrir l'une d'elles. Elle céda aussitôt, et Morane pénétra dans ce qui lui parut être un vaste réduit encombré d'objets de toutes sortes. Il n'eut cependant pas le loisir d'en connaître la nature exacte. Il referma aussitôt le battant derrière lui, pour se trouver plongé dans des ténèbres totales.

Adossé à la cloison, le souffle court, les oreilles

aux aguets, Morane attendit la suite des événements.

Les nouveaux venus avaient à présent pénétré dans la salle voisine. Leurs voix parvenaient distinctement à l'oreille de Bob.

— Je me demande, disait l'une d'elles — une voix forte et autoritaire —, qui a laissé les portes du sas ouvertes. Je ne tiens pas à ce qu'un tas de bestioles malfaisantes pénètrent à l'intérieur du tank pour s'attaquer à nos approvisionnements. Je désire éviter toute surprise désagréable. Dans une entreprise comme la nôtre, le moindre grain de sable peut causer la catastrophe...

— Sans doute est-ce encore là un coup de Palmer, fit une deuxième voix, moins fortement timbrée que la première.

— Ce Palmer, glissa un troisième personnage, est un excellent mécanicien, mais il est parfois coupable de regrettables négligences...

— Bah! reprit le second interlocuteur, l'erreur est humaine après tout...

Morane ne s'était pas trompé. Les trois inconnus parlaient anglais, et l'anglais d'Oxford encore. Un anglais châtié, digne de la plus pure tradition britannique.

Le silence s'était fait maintenant. Morane devina que les trois hommes gravissaient l'échelle conduisant à l'étage supérieur. Bientôt, des pas ébranlèrent le plafond au-dessus de sa tête. Puis, presque aussitôt, un long ronronnement retentit, faisant vibrer le *Trilobite* dans ses moindres membrures. Le ronronnement alla en s'accentuant et, soudain, l'engin tout entier s'ébranla, glissa en avant. Le tank s'était mis en marche. Et Bob comprit alors qu'il venait, une fois de plus, de se lancer tête baissée dans un redoutable guêpier.

**
*

De longues minutes, des heures peut-être, s'étaient écoulées. Plongé dans des ténèbres totales et dans l'anxiété quant à son sort prochain, Morane avait perdu la notion du temps. En outre, de multiples questions se pressaient dans son esprit. A quoi servait cet étrange véhicule et qu'elle était sa destination ? Qui étaient les hommes qui le pilotaient et quels desseins poursuivaient-ils ?

Les cahots et ce ronronnement ténu, mais puissant, venant des profondeurs du *Trilobite*, indiquaient que l'engin n'avait pas arrêté sa marche.

Dans l'obscurité de son réduit, Morane commençait à s'impatienter. Il tâtonna autour de lui pour tenter de se rendre compte. Ses mains rencontrèrent une forme métallique. Une forme gigantesque, froide et rigide, aux membres articulés et à la tête sans visage, avec un occiput pointu comme une tête d'obus. Le contact froid du métal, ajouté à l'idée d'humanité, fit soudain se retirer la main de Morane. Puis il s'enhardit à nouveau et reprit ses investigations. Tout autour de lui, il rencontra les mêmes formes humaines et métalliques. L'impression de se trouver enfermé en compagnie d'une dizaine d'armures de tournoi datant du Moyen Âge...

— Je dois me rendre compte, murmura-t-il. Je dois me rendre compte...

Comme il ne possédait aucun moyen de faire de la lumière, ni lampe électrique, ni allumettes, il tâta la cloison autour de la porte, mais sans rien découvrir qui ressemblât à un commutateur.

— Je dois me rendre compte, murmura-t-il à nouveau.

Il prêta longuement l'oreille puis, comme aucun son ne lui parvenait de la salle voisine, il s'enhardit jusqu'à entrebâiller le battant pour jeter un coup d'œil au-dehors. Comme il l'avait pensé, la salle voisine était déserte. Les trois personnages mystérieux devaient se trouver dans la chambre des commandes, à l'étage supérieur.

S'enhardissant toujours davantage, Bob ouvrit le battant à demi. Un jour verdâtre pénétra dans le réduit. Morane se rendit compte que ce qu'il avait pris tout d'abord pour des armures moyenâgeuses étaient en réalité de grands scaphandres en métal articulé, avec des casques en forme d'obus et faits d'une matière complètement transparente.

Mais, déjà, le spectacle qui se déroulait derrière la grande baie vitrée avait accaparé l'attention de Morane. Sur la pointe des pieds, il se dirigea vers l'avant de l'appareil et regarda au-dehors.

Le *Trilobite* avançait sur un fond de sable, au sein d'une forêt de madrépores. Des bandes de poissons argentés, au corps rayé de noir, nageaient en formations compactes. Quelque part, dans le lointain bleu-vert, la silhouette fusiforme d'un grand squale fila comme une torpille.

Tout s'éclairait à présent pour Morane. Le *Trilobite* n'était pas un tank comme les autres, mais un tank sous-marin, capable de cheminer aussi aisément dans les profondeurs océanes que sur terre.

Un tank sous-marin ! Cela n'avait, à première vue, rien de bien extraordinaire. Alors, pourquoi ce secret ?...

Bob n'eut guère le loisir de réfléchir davantage à cette question. La voix autoritaire qui, tout à l'heure, avait retenu son attention, venait de retentir derrière lui :

— Que faites-vous ici ?

Bob se retourna d'une pièce pour se trouver nez à nez avec un homme vêtu d'une combinaison de toile kaki. Un véritable colosse, haut de près de deux mètres, avec des épaules qui ne cédaient en rien à celles d'un gorille. Une barbe rousse, épaisse et embroussaillée, tombait sur sa poitrine, et sa chevelure ressemblait à un brasier. Sous des sourcils touffus brillaient deux petits yeux bruns, aux regards chargés de colère. Tout de suite, Morane eut l'impression d'avoir déjà vu cet homme quelque part. Mais où ? Une fois encore, il n'eut pas le temps de chercher une réponse à cette question.

— Que faites-vous ici ? interrogea encore le colosse.

— A vrai dire, je ne sais pas moi-même, fit Bob sans perdre son sang-froid. Hier soir, j'ai abordé sur cette île à bord de mon petit voilier, à la recherche d'un coin tranquille où passer quelques semaines de paisibles vacances. Tout à l'heure, en explorant les environs, j'ai découvert par hasard votre *Trilobite* et...

— ... Vous y avez pénétré, poussé par la curiosité, acheva l'autre avec un léger sourire. Quand nous sommes survenus vous avez pris peur et vous vous êtes dissimulé quelque part. Derrière l'une de ces trois portes peut-être...

Répondant au sourire de son interlocuteur, Morane eut un signe affirmatif de la tête.

— Vous avez deviné juste.

Sur les traits du géant, le sourire avait disparu, pour faire place à une expression de féroce colère.

— Et vous supposez que je vais vous croire ? tonna-t-il. Gibier de potence ! Vil saboteur ! Empêcheur de danser en rond ! Mangeur de petits enfants...

D'autres injures suivaient en anglais. Devant leur outrance un peu grandiloquente, Morane ne put s'empêcher d'éclater de rire.

— N'en jetez plus, monsieur, n'en jetez plus, dit-il sur un ton de moquerie. Vraiment, vous me comblez...

26

Cet innocent persiflage eut le don de pousser à bout le géant qui, brusquement, ses énormes poings tendus, bondit en avant. Bob comprit alors pourquoi il ne l'avait pas entendu venir : le colosse se déplaçait avec la souplesse d'une bête fauve. Morane tenta bien d'éviter son assaut, mais autant valait tenter d'échapper à un ouragan. L'un des monstrueux poings l'atteignit à la pointe du menton, et il s'écroula inanimé sur le sol, un peu comme s'il avait été soudain frappé par la foudre...

CHAPITRE III

Quand Morane reprit connaissance, il se trouvait, étendu sur le plancher, étroitement ligoté, au centre d'une pièce aux murs nus, meublée seulement de quelques fauteuils en rotin, d'une grande table de camping pliante et d'une demi-douzaine de malles de fer étamé empilées dans un coin. Quatre hommes, dont le colosse à la barbe et aux cheveux roux, se trouvaient assis devant lui, guettant son réveil.

L'un des hommes — un individu d'une cinquantaine d'années, aux cheveux gris, au nez aquilin et aux yeux verts brillant d'intelligence — se tourna vers le géant, pour dire :

— J'ai l'impression, Steve, que votre victime reprend goût à la vie...

— Il était temps, fit un autre personnage, petit homme trapu, au crâne chauve et aux énormes lunettes cerclées d'écaille. Avec votre force, Steve, vous auriez très bien pu le tuer...

Un rictus découvrit les dents du colosse. Des

dents d'une blancheur éclatante. Des canines pointues de broyeur d'os.

— Si je l'avais tué, ç'aurait été tant mieux, dit-il. Cette mauvaise graine d'espion et de saboteur ne mérite pas mieux...

Doucement, Bob remua les mâchoires ; il eut toutes les peines du monde à réprimer un cri de douleur. L'impression d'avoir été frappé par un marteau-pilon. Aussitôt, une vague de rancœur à l'égard du géant l'envahit.

— Je ne savais pas qu'il y avait des singes anthropoïdes dans les Antilles. Pourtant, si j'en crois mes yeux, cette île comprend parmi sa faune un gorille de l'espèce rousse, la plus dangereuse de toutes...

Cette allusion non dissimulée à son aspect physique arracha un rugissement de colère au colosse. Il fit mine de se lever pour se précipiter sur Morane, mais l'homme au nez aquilin le retint par la manche de sa combinaison de toile.

— Voyons, Steve, ne vous faites pas plus méchant que vous ne l'êtes. Jamais vous ne frapperiez un homme ligoté...

Morane qui, décidément, en voulait au géant de l'avoir assommé, ne put s'empêcher de remarquer :

— Qu'on soit ligoté ou non, cela ne change rien. De toute façon, on n'a aucune chance de se tirer des pattes d'un tel lourdaud...

Une fois encore, le géant fit mine de se lever, mais la voix de l'homme au nez aquilin retentit sèchement :

— Assez, Steve! Quant à vous, monsieur — il se tournait vers Bob —, cessez vos douteuses plaisanteries. Tôt ou tard, vous pourriez avoir à vous en repentir... Pour commencer, qui êtes-vous? Et qu'êtes-vous venu faire ici?

Bob se tortilla dans ses liens.

— Je ne suis pas dans une position propre aux présentations mondaines, fit-il remarquer. Vous ne m'avez pas l'air d'être des forbans et, comme je suis, moi aussi, un honnête homme, il n'y aurait aucun inconvénient à ce que vous me détachiez...

L'homme au nez aquilin jeta un regard indécis vers ses compagnons.

— Soyez sans crainte, enchaîna Morane, je ne me sauverai pas. Je suis sans armes et votre ami Steve qui, s'il possède le gabarit d'un rhinocéros, a également la souplesse d'une gazelle, aurait vite fait de me mettre hors d'état de nuire, à moins que je ne l'en empêche. Il ne m'aura pas par surprise cette fois...

Ce dernier argument parut avoir raison des dernières hésitations de l'homme au nez aquilin. Il se tourna vers le quatrième personnage, un jeune gaillard solidement bâti, aux cheveux et aux yeux d'un noir charbonneux :

— Allez-y, John, détachez notre prisonnier...

L'interpellé se leva, tira un couteau automatique de la poche de sa combinaison et en fit jaillir la lame d'une pression du pouce. Passant derrière Morane, il trancha ses liens.

Bob se redressa et, assis sur le plancher, se frotta longuement les membres. Ensuite, il se tâta la mâchoire et, comme celle-ci, bien que douloureuse, lui paraissait en bon état, il se remit à sourire.

— Mon nom est Robert Morane, dit-il, et je crois être la victime d'un malentendu...

A ce nom de Morane, l'homme au nez aquilin eut un léger sursaut.

— Seriez-vous ce commandant Morane dont, ces derniers temps, on a pas mal parlé au sujet d'affaires plutôt...

— Plutôt ténébreuses, acheva Bob en voyant que son interlocuteur hésitait sur le mot. C'est bien de ce commandant Morane-là qu'il s'agit, en effet... Pourtant, croyez-moi, cette fois je suis un bien paisible voyageur, peu porté à se mêler des affaires des autres. Mais, j'y songe, vous savez qui je suis à présent. Puis-je savoir à mon tour qui vous êtes?

L'homme au nez aquilin hocha la tête affirmativement.

— En supposant que vous ne le sachiez pas, mon nom est William Kearney.

Il désigna le géant roux, l'homme chauve aux lunettes d'écaille et le personnage aux cheveux noirs qui avait tranché les liens de Morane.

— Et voici les professeurs Stephen Harambur et Jeroboam Olsen. John Palmer est notre technicien...

A l'énoncé de ces trois noms de Kearney,

Harambur et Olsen, Morane avait sursauté à son tour. Il savait à présent pourquoi, lors de sa première rencontre avec le géant, celui-ci ne lui avait pas paru tout à fait inconnu. Harambur était ce fameux biologiste britannique qui, quelques années auparavant, avait fait tant parler de lui comme chef de l'expédition océanographique du *Prometheus*. La réputation du professeur Kearney, le célèbre physicien, et d'Olsen, l'archéologue, ne le cédait en rien à celle du biologiste. Avec ces trois savants, Morane se trouvait en présence de la plus fine fleur de la science britannique. Initialement, il croyait avoir affaire à des bandits guidés par d'inavouables desseins. A présent, il se sentait un peu honteux de ses soupçons. Kearney, Harambur et Olsen ne pouvaient se trouver là que dans des buts scientifiques. Tout compte fait, il leur devait des excuses pour les avoir dérangés dans leurs travaux.

— Je suis heureux, dit-il, de me trouver en une compagnie aussi choisie. Si j'ai pu apporter le moindre contretemps à votre travail, vous m'en voyez navré. Croyant cette île déserte, j'y suis venu à bord d'un petit cotre qui se trouve ancré dans la baie voisine. C'est en explorant l'île que j'ai, bien malgré moi, découvert votre tank…

La voix tonnante du professeur Harambur retentit, vengeresse :

— Vous nous avez déjà dit cela, monsieur Morane… si c'est bien là votre nom… Et vous voudriez sans doute nous obliger à vous croire ? Tout d'abord, pouvez-vous nous prouver votre identité ?

Cette fois, Morane ne parut pas se formaliser de l'hostilité du biologiste. Il se contenta de hocher la tête affirmativement.

— Mes papiers, dûment visés par les autorités de Nassau, se trouvent à bord de mon bateau. Si vous voulez m'accompagner jusque-là, je vous les montrerai. Ensuite, je vous laisserai à vos travaux d'exploration sous-marine et irai à la recherche d'un autre coin tranquille, et bien désert celui-là...

Mais le professeur Kearney secoua la tête.

— Nous avons tout le temps pour examiner vos papiers, monsieur Morane. Jusqu'à nouvel ordre, nous vous croyons sur parole. Il n'est d'ailleurs pas question pour nous de vous laisser partir.

— Que voulez-vous dire ?

— Vous avez vu le tank, et nous ne tenons pas à ce que la chose s'ébruite...

Morane ne put réprimer un léger tressaillement.

— Je ne comprends pas, fit-il. Vous vous livrez, avec votre tank, à des recherches sous-marines, d'ordre scientifique assurément. Je ne vois pas très bien pourquoi vous craindriez une indiscrétion quelconque de ma part. Que diable, il ne s'agit pas là d'un secret d'État !...

Un léger sourire apparut sur les lèvres pleines de Kearney.

— Si, monsieur Morane, il s'agit justement d'un secret d'État. Comme, tout compte fait, vous m'êtes plutôt sympathique et comme, de toute façon, vous vous trouvez en notre pouvoir, rien ne m'empêche de vous raconter notre histoire. Elle vous passionnera je crois...

*
**

— Il y a un peu plus de trois ans de cela, commença le professeur Kearney, un aviso britannique, le *Prometheus*, quittait Portsmouth. A son bord, les membres d'une mission scientifique ayant pour but d'étudier la faune et les fonds sous-marins de la mer des Sargasses. Le professeur Harambur, ici présent, commandait cette mission.

« Un jour où le *Prometheus* croisait quelque part entre les îles Bermudes et l'archipel des Bahamas, où nous nous trouvons, un chalut fut lancé et trouva le fond par quelques 2 000 fathoms, soit environ 3 600 mètres, profondeur certes négligeable si l'on considère qu'au large des îles Carolines on a sondé des fonds de plus de 10 000 mètres. Pourtant, quand le chalut fut remonté, les surprises commencèrent. Au fond du filet, le professeur Harambur découvrit une étrange statuette, haute d'une vingtaine de centimètres à peine, taillée dans de l'obsidienne. Protégée par la boue des grands fonds, cette statuette, fort ancienne, était cependant demeurée intacte. Elle représentait selon toute évidence un dieu, mais un dieu inconnu. A Londres, les experts du British Museum ne purent d'ailleurs lui donner une identité valable. La statuette n'était ni maya, ni toltèque, ni zapothèque, ni aztèque, ni caraïbe, sinon on aurait pu supposer qu'elle avait été jetée à la mer par quelque ancien navigateur. En désespoir de cause, on décréta qu'elle avait appartenu à une civilisation inconnue et dont on n'avait, jusqu'alors, découvert aucun vestige, et cela pour la bonne raison que les vestiges de la civilisation en question se trouvaient depuis longtemps enfouis au fond de l'océan. Aussitôt, le nom de la légendaire Atlantide fut évoqué.

« Cependant, un autre phénomène avait retenu l'attention des savants. Passée au compteur Geiger, la statuette ainsi que les boues et la pierraille contenues dans le filet du chalut, s'étaient révélées fortement radioactives. Cela laissait supposer qu'elles avaient été longtemps en contact avec des matières radioactives par elles-mêmes, comme le radium par exemple.

« Cette double découverte donna aux autorités britanniques l'idée d'organiser une expédition sous-marine destinée à explorer les fonds sondés par le *Prometheus*, afin d'y rechercher les vestiges de cette civilisation à laquelle avait appartenu la statuette, et aussi ces gisements de matières radioactives dont la science, à l'ère atomique, a grand besoin. On songea aussitôt à construire un engin qui réunirait à la fois les caractéristiques du sous-marin et du tank. On avait bien pensé également à un bathyscaphe, mais cet engin ne possédait pas assez d'autonomie ni ne présentait une sécurité suffisante pour permettre une exploration poussée.

« Pour réaliser le tank sous-marin cependant, il fallait doter celui-ci de parois d'acier à ce point épaisses que l'ensemble risquait de peser plusieurs milliers de tonnes. En effet, si la profondeur de 3 600 mètres n'est pas excessive, il y règne cependant une pression approximative de quelque quatre cents atmosphères par centimètre carré. Je venais justement de mettre au point un alliage métallique aux propriétés toutes nouvelles : la kearnalumine. Aussi léger que le duralumin et cent fois plus résistant que l'acier le mieux trempé, cet alliage possédait en outre l'avantage d'être totalement imperméable aux radiations. Je me mis donc aussitôt à établir les plans d'un tank sous-marin capable d'emmener plusieurs hommes avec leurs équipements et leurs provisions. La propulsion en serait parfaite, son imperméabilité aux radiations évitant l'emploi de lourds écrans protecteurs. Toujours servi par les propriétés de ma kearnalumine, je pus également mettre au point un scaphandre extrêmement léger et résistant aux plus hautes pressions, ainsi qu'un fusil lançant un rayon calorifique.

« Vous devez deviner cependant que, pour arriver à ces différents résultats, il me fallut passer par de nombreux tâtonnements. Pendant ce temps, les services de renseignements d'une puissance étrangère eurent vent de mes recherches et s'y intéressèrent. Pensez, un tank construit dans un métal quasi indestructible, possédant un armement redoutable et capable de traverser n'importe quelle étendue marine ! Un tel véhicule procurerait une supériorité écrasante à l'organisation militaire qui serait seule à le posséder. En outre les gisements de matières radioactives, situés en plein océan Atlantique, en dehors de toutes eaux territoriales, pouvaient intéresser ladite puissance étrangère...

« On commença par me voler la formule de la kearnalumine, mais cette formule était si bien brouillée qu'il était impossible de la reconstituer. On tenta également de me dérober les plans du tank, mais j'avais pris toutes mes précautions. Les plans volés auraient à peine été bons pour construire un tank-jouet pour enfant. Sur ces entrefaites, les différentes parties de notre véhicule sous-marin étaient terminées ; il ne restait plus qu'à les assembler, ce qui, en raison de l'extrême légèreté de ma kearnalumine, était une tâche relativement aisée. Les membres de l'expédition avaient été sélectionnés. Il s'agissait de moi-même, du professeur Harambur, du professeur Olsen et de John Palmer. Tous quatre, nous fûmes acheminés, en grand secret, en même temps que les éléments du tank, vers cet îlot des Bahamas, où nous nous mîmes aussitôt au travail. Aujourd'hui, le tank sous-marin est complètement monté. Les essais définitifs ont été tentés. Dans quelques jours, nous pourrons partir pour la grande aventure. Vous comprenez sans doute à présent, monsieur Morane, pourquoi nous avons fait montre de tant de méfiance à votre égard... »

Le professeur Kearney s'arrêta de parler. Bob hocha doucement la tête.

— Pourquoi, si vous craignez à ce point les espions, n'avez-vous pas insisté pour être gardés militairement ?

— En agissant ainsi, répondit Kearney, nous aurions pu attirer l'attention de nos ennemis et, comme toutes les précautions avaient été prises pour que notre départ d'Angleterre demeurât secret...

— Encore une question, professeur. Pourquoi avez-vous donné à votre engin le nom de *Trilobite ?* Est-ce là une appellation purement poétique, ou répond-elle à des raisons plus profondes ?

— Elle répond, comme vous dites, à des raisons plus profondes. En réalité, notre tank est un vrai trilobite mécanique puisque, comme cet ancêtre des crustacés, il se trouve divisé longitudinalement en trois lobes : de chaque côté, les chenilles et les ballasts ; au milieu, l'habitat, la chambre des machines et le réacteur.

Il y eut un long silence. Puis le professeur Kearney demanda :

38

— Avez-vous encore des questions à nous poser, monsieur Morane?

Bob hocha la tête affirmativement.

— Oui, fit-il. Une seule question... Qu'allez-vous faire de moi?

Au fond de lui-même, il ne nourrissait aucune inquiétude à ce sujet. Aucun des trois savants n'eût été capable de commettre un crime, et guère plus John Palmer sans doute. Malgré cela, le professeur Harambur répondit de sa voix bourrue :

— Tout ce que vous méritez, monsieur, c'est d'être jeté en pâture aux requins. Je crois d'ailleurs que c'est ce que nous allons faire...

Dans le ton du biologiste, il y avait quelque chose de forcé qui n'échappa pas à Morane. Jamais Harambur ne jetterait quiconque aux requins, ni ne tuerait personne de sang-froid. Bob ne put s'empêcher de sourire.

— Je n'ai pas très peur des requins, professeur, fit-il. Je suis un vieux fanatique de la plongée sous-marine, et je sais comment les prendre. D'ailleurs, si vous me jetiez aux requins et si ceux-ci me dévoraient, cela vous empêcherait de dormir durant le reste de votre existence. Je me trompe peut-être, mais l'âme qui se cache sous votre apparence de gorille mal léché doit être celle d'une jeune fille romantique.

Un triple éclat de rire échappa à Kearney, à Olsen et à Palmer.

— Vous avez touché juste, monsieur Morane,

fit le premier des trois hommes. Notre ami Steve est capable de donner des coups de poing à assommer un bœuf — en fait je ne crois pas avoir rencontré un homme aussi fort que lui —, mais la vue d'une simple goutte de sang le fait tomber en pâmoison...

A son tour, Harambur éclata de rire.

— Naturellement, vous exagérez, Bill. Il est évident aussi que je ne jetterai personne aux requins ni ne ferai rien de ce genre. Après tout, comme vous êtes le chef de l'expédition, je vous laisse le soin de décider du sort de notre prisonnier...

William Kearney se tourna à nouveau vers Morane. Une expression d'intense perplexité se trouvait peinte sur ses traits.

— Vous nous mettez dans une bien délicate situation, monsieur Morane. Naturellement, nous ne pouvons vous tuer, mais nous ne pouvons non plus vous remettre en liberté. Nos ennemis sont puissants, et nous ne voulons pas risquer qu'une indiscrétion vienne ruiner nos plans...

— Et si je demeurais ici jusqu'à votre départ? proposa Bob. Quand vous serez là-bas, au fond de l'océan, vous n'aurez plus à craindre les indiscrétions...

— Vous vous trompez, fit Kearney. Vous connaissez l'existence de la kearnalumine. C'est là un secret qui doit être gardé, à tout prix, le plus longtemps possible. Ce serait une fameuse course si les nations savaient qu'un tel métal existe. Déjà, une puissance étrangère l'a appris, et vous savez ce que cela a donné...

— Et si je vous promettais de ne souffler mot à personne de tout ceci?

Longuement, le savant dévisagea Morane comme s'il voulait lire en lui. Au bout d'un moment, il secoua la tête.

— Tout me porte à vous faire confiance, dit-il. Cependant, je ne vous connais pas depuis assez de temps, et il me reste un doute... Non, vraiment, je ne vois qu'une solution: c'est que vous demeuriez avec nous jusqu'à la fin de l'expédition. A notre retour, nous vous connaîtrons mieux...

Le professeur Kearney se tourna vers ses compagnons.

— Êtes-vous tous d'accord pour que le commandant Morane nous accompagne? demanda-t-il.

Olsen hocha doucement la tête.

— Il le faut bien, Bill, répondit-il d'une voix hésitante. Je suppose qu'il n'y a pas d'autre solution...

— Et vous, Steve, qu'en pensez-vous?

— Ce que j'en pense? fit Harambur d'une voix rauque. Je pense que M. Morane nous a placés dans une situation bien délicate, en effet. Une expédition aussi secrète que la nôtre! Et nous voilà obligés d'emmener un inconnu avec nous... C'est à désespérer du sort...

Le colosse se tourna vers Bob et tendit vers lui deux énormes mains.

— C'est entendu, monsieur Morane, vous nous accompagnerez mais, surtout, d'ici le moment du départ, ne tentez pas de fuir. Je veillerai personnellement sur vous...

Un fin sourire plissa les traits bronzés de Bob.

— Soyez sans crainte, professeur, dit-il doucement. Je n'essaierai pas de fuir pour tout l'or du monde. Réfléchissez donc... Je vais avoir l'occasion de partir à la recherche de l'Atlantide, à bord d'un engin sous-marin sorti tout droit d'un rêve de Wells et je tenterais de me dérober? Non, non, pour rien au monde, je ne voudrais manquer cela...

CHAPITRE IV

Lentement, ses machines tournant au ralenti à cause des risques d'échouage, le steamer faisait route à travers la nuit claire des tropiques. Un vieux cargo à la coque tachée de rouille et à l'avant et à la poupe duquel un nom, *Hankau,* se trouvait inscrit en lettre blanches. Tout autour de lui, les silhouettes noires des îles Caïcos se décou paient, basses sur les flots argentés par la lune et couronnées de cocotiers chevelus.

Sur la dunette, trois personnages se tenaient côte à côte. L'un, coiffé d'une casquette de capitaine de la marine marchande, était un gros homme porteur d'une barbe rousse en collier, le deuxième un colosse à la face plate d'Asiatique, et le troisième un homme jeune, aux yeux légèrement bridés et vêtu d'une combinaison noire, à l'allure militaire.

Le colosse à la face plate désigna une île toute proche.

— Nous avons atteint notre but, dit-il. C'est là que les commandos doivent débarquer...

Longuement, le capitaine inspecta l'île à l'aide de ses jumelles de marine, mais sans parvenir à y découvrir aucune lumière. Au bout d'un moment, il se tourna vers le colosse à face plate :

— Êtes-vous bien sûr de ne pas vous tromper, Urga ? Toutes ces îles se ressemblent tellement...

L'Asiatique hocha la tête affirmativement.

— C'est bien l'île. Je suis formel à ce sujet... Ses coordonnées correspondent exactement à celles qui nous ont été communiquées par nos agents.

Rapidement, le capitaine manœuvra la manette du chadburn. Une sonnerie retentit dans les entrailles du bâtiment et, presque aussitôt, les machines stoppèrent. Pendant quelques instants, le *Hankau* courut sur son erre, puis il s'immobilisa. On entendit le double « plof » des ancres plongeant dans l'eau, puis le grincement des chaînes... Le capitaine se tourna vers l'homme à la combinaison noire qui, jusqu'ici, n'avait pas prononcé une seule parole.

— A vous de jouer à présent, colonel Kapek. Et n'oubliez pas que nos ordres sont formels : nous devons nous emparer de ce tank et de tous les instruments qu'il contient...

Un léger sourire apparut sur les traits lisses du colonel Kapek.

— Soyez sans crainte, capitaine, mes hommes et moi avons l'habitude de ce genre d'opération.

Quand je pense que ces imbéciles n'ont même pas tenu à se faire garder militairement! En agissant ainsi, ils espéraient ne pas attirer l'attention sur leur base de départ. Ils semblent avoir oublié que rien n'échappe à nos services de renseignements...

— S'emparer du tank est bien, colonel, dit encore le capitaine. Cependant, nous nous trouvons ici dans des eaux territoriales. Agissez donc avec le plus de discrétion possible.

Le visage du colonel Kapek se durcit.

— Bien sûr, pour le moment, nous sommes en paix avec le monde entier. Mais, bientôt, nous étendrons notre emprise sur toute la terre, et les inventions du professeur Kearney nous y aideront...

Sans ajouter une seule parole, Kapek quitta la dunette et gagna le pont inférieur. Il jeta un ordre bref et une trentaine d'hommes, vêtus eux aussi de combinaisons noires, débouchèrent d'une écoutille. Tous étaient armés de revolvers, de poignards et de mitraillettes.

Deux grands canots pneumatiques se trouvaient sur le pont. Les hommes les laissèrent descendre le long des flancs du cargo, jusqu'à ce qu'ils touchent l'eau. Des échelles de corde furent déroulées et, le colonel Kapek en tête, les commandos s'entassèrent dans les dinghies. Sans échanger une seule parole, ils se mirent à pagayer en direction de l'île...

Là-bas, tout semblait dormir, et le colonel

Kapek ne put s'empêcher de sourire. Le professeur Kearney et ses compagnons ne pouvaient espérer résister à ses hommes, expérimentés dans l'art du coup de main. Avant l'aube, le tank serait enfermé dans les cales du *Hankau*, aménagées pour le recevoir. La mission du colonel Kapek serait alors terminée, et ce pour la plus grande gloire de la patrie qui, assurément, ne tarderait pas à lui témoigner sa reconnaissance...

*
**

Étendu dans son hamac, Bob Morane ne parvenait pas à trouver le sommeil. Deux jours à présent qu'il avait abordé sur l'île, et le lendemain, à l'aube, le grand départ devait avoir lieu. C'était moins l'impatience qui l'empêchait de dormir que l'idée de cette chance qui lui échéait de se trouver mêlé une fois encore à une aventure exceptionnelle. Depuis longtemps, Bob connaissait le professeur Kearney de réputation. Il savait pouvoir lui faire confiance au sujet du *Trilobite*. Si Kearney affirmait que le tank était capable, comme les essais l'avaient prouvé, de cheminer par quatre mille mètres et plus au fond de l'océan, c'est qu'il en était ainsi.

Une grande chauve-souris vola le long de la galerie où se trouvait étendu Morane. Celui-ci se dressa, sauta légèrement de son hamac et se glissa dehors. Une compréhensible nervosité l'empoignait. Il sentait le besoin de marcher pour se détendre, pour jouir aussi de cette belle nuit tropicale...

Lentement, Bob marcha vers la mer. Il songeait à l'étrangeté du sort qui l'avait conduit là. A la recherche d'un coin désert, il avait été averti de la présence d'hommes par quelques coups de feu — Kearney et ses compagnons chassaient en ce moment-là —, et la suite de l'histoire était venue toute seule. Si les trois savants et John Palmer avaient été des bandits, ils l'auraient tout simplement tué pour l'empêcher de divulguer leur secret ; ils étaient des hommes d'honneur et préféraient l'emmener avec eux pour apprendre à le connaître et savoir si, finalement, ils pourraient lui faire confiance.

Tout en marchant, Bob avait dépassé le vallon où se trouvait le tank et avait atteint le flanc du promontoire fermant la petite baie où il avait abordé deux jours plus tôt. D'où il se trouvait il voyait la mer, en direction du large et, très près, il distingua la silhouette massive d'un navire à l'ancre. Ce devait être un cargo. Il distinguait nettement les mâts de charge.

Que venait faire ici ce cargo, si près des côtes ? Ces parages étaient riches en hauts-fonds, et le corail vous éventre un navire aussi aisément qu'une vulgaire boîte de conserve... Jamais un capitaine marchand, à moins d'être fou ou animé de mauvaises intentions, ne courrait un tel risque. Il y avait du louche là-dessous...

Morane fit encore quelques pas et atteignit la crête du promontoire. De là, il pouvait embrasser la plage où, sur l'ordre de Kearney, les domestiques indigènes avaient tiré le petit cotre. Ce dernier n'avait pas bougé, dressé sur ses cales en bois de cocotier. Pourtant, l'attention de Bob fut attirée par deux formes noires glissant vers la plage, au ras de l'eau moirée par les rayons de la lune. Deux formes dans lesquelles Bob reconnut aussitôt deux grands dinghies de caoutchouc montés chacun par une quinzaine d'hommes.

Pour ne pas risquer d'être aperçu, Bob s'était accroupi. Derrière lui, une voix bourrue, qu'il connaissait bien, demanda :

— A quel jeu jouez-vous donc ?

Bob tourna la tête, pour apercevoir le professeur Harambur, debout à quelques pas de lui. Le colosse tenait un lourd pistolet automatique dans son poing droit et le braquait dans sa direction.

— Quand je vous ai vu vous lever, dit-il, j'ai supposé que vous prépariez quelque mauvais coup, et je vous ai suivi. J'avais dit à Kearney que vous tenteriez de fuir...

Morane ne parut pas entendre les paroles du savant. Du doigt, il lui désigna le cargo, puis les deux dinghies, qui venaient de toucher la plage.

— Ouvrez donc les yeux, professeur, et vous saurez que le danger ne vient pas de moi...

Là-bas, les hommes avaient sauté à terre et se déployaient en éventail. On pouvait se rendre compte qu'ils étaient vêtus de noir et armés de mitraillettes.

Harambur s'était accroupi près de Bob.

— On dirait un commando, fit-il. Qu'est-ce que ça signifie ?

— Vous m'avez parlé d'une puissance étrangère qui s'intéressait au *Trilobite*, répondit Morane. Ses agents auront retrouvé votre trace, et ce commando doit être là pour s'emparer du tank... A mon avis, vous allez bientôt regretter de ne pas avoir fait garder l'île militairement...

Harambur ne répondit pas aussitôt. Il surveillait les évolutions des homme sur la plage.

— Je crois que vous avez raison, dit-il finalement. Ces hommes sont plus nombreux que nous, et mieux armés. S'ils nous attaquent, nous avons bien peu de chances de nous en tirer...

Bob se mit à rire doucement, comme s'il venait d'entendre une bonne plaisanterie.

— Mieux armés que nous? Vous oubliez les radiors, professeur...

C'était par ce mot « radior » que le professeur Kearney désignait le fusil à rayon thermique de son invention... Mais Harambur avait secoué la tête.

— Rien à faire, dit-il. Bill Kearney est peut-être le dernier des idéalistes. Il a, certes, inventé le radior, mais il n'acceptera jamais de s'en servir contre des hommes... Contre les monstres marins, oui, mais contre des humains...

Morane n'insista pas.

— Vous avez raison, professeur. Dans ces conditions, l'affaire est critique. Nous avons seulement quelques revolvers et quelques fusils de chasse, et nous sommes cinq. Contre une trentaine d'hommes armés de mitraillettes, il nous reste peu de chances...

Bob s'interrompit, pour reprendre presque aussitôt :

— Si, il nous reste peut-être une chance...

— Que voulez-vous dire ?

— Nous devions partir à l'aube, professeur. Eh bien, nous partirons quelques heures plus tôt, tout simplement. Le tank est prêt, les approvisionnements sont à bord. Nos ennemis ne pourront nous poursuivre sous la mer... Il nous faut à tout prix prévenir au plus tôt vos amis...

Du doigt, Harambur désigna les hommes du commando, qui progressaient rapidement le long de la plage, en direction du promontoire.

— Ces forbans auront atteint le tank avant que nous ayons pu regagner les maisons et en revenir avec Kearney et les autres...

Bob secoua violemment la tête.

— Ils n'y arriveront pas si quelqu'un les retarde, professeur. Donnez-moi votre arme...

Pendant un long moment, le professeur Harambur considéra son compagnon, se demandant s'il pouvait lui faire confiance. Bob eut un mouvement d'impatience.

— L'instant n'est pas aux hésitations, dit-il. Donnez-moi ça et filez vite...

Sans attendre la réponse du géant, Morane lui arracha le lourd pistolet automatique et se laissa glisser parmi les plantes grasses couvrant l'autre versant du promontoire. Derrière lui, il entendit le professeur Harambur qui courait en direction des maisons...

50

Continuant à progresser à demi-courbé, Bob atteignit les premiers cocotiers. Les hommes du commando n'étaient plus qu'à une centaine de mètres. Bob s'étendit sur le sol et les observa. Ils allaient rapidement, dans l'ombre des arbres, leurs mitraillettes braquées. Quand Bob les jugea à bonne distance, il se mit à hurler en anglais :

— Demeurez où vous êtes. Des mitrailleuses sont braquées sur vous. Si vous continuez à avancer, pas un seul d'entre vous ne quittera cette île vivant...

Il y eut un mouvement de surprise parmi les envahisseurs. Ils s'immobilisèrent, indécis, mais aucun d'entre eux cependant ne se jeta à terre, comme s'ils n'avaient pas compris le sens des paroles de Morane. Ensuite, l'un d'eux, qui devait être le chef, lança un bref commandement. Aussitôt, plusieurs mitraillettes crachèrent leurs balles et les hommes en noir se remirent à avancer...

« Mon bluff a fait long feu, songea Bob. Il va falloir jouer à la petite guerre... »

Par deux fois, il pressa la détente du lourd automatique, et deux hommes tombèrent. Les autre s'égaillèrent dans la brousse.

« Avant longtemps, je serai pris à revers, pensa encore Morane. Alors rien, ni personne, ne pourra empêcher ces bandits d'atteindre le tank... » Il devait pourtant réussir à leur barrer le passage. Si le *Trilobite* tombait entre les mains de cette puissance étrangère dont avait parlé Kearney, la paix mondiale serait en danger. La kearnalumine servirait à confectionner des chars et des avions quasi indestructibles, et de gigantesques radiors sèmeraient la mort... « Je suis en quelque sorte en train de défendre la civilisation », pensa à nouveau Morane. Mais, pour accomplir cette grande tâche, il était seul, armé seulement d'un automatique contenant encore cinq balles, avec devant lui une trentaine d'hommes décidés et munis de mitraillettes.

Sans réfléchir davantage à l'inégalité du combat, il se mit à courir à travers la jungle. Puisque les assaillants s'étaient séparés, il lui restait une chance de tomber sur un seul adversaire. Il pourrait alors le mettre hors de combat et s'emparer de son arme.

Un mouvement dans les broussailles révéla tout à coup une présence. Avec la souplesse d'un félin, Bob se coula derrière un bouquet de nopals et attendit, prêt à tout. Une forme noire apparut, avançant à demi courbée. Quand elle eut dépassé le bouquet de nopals, Morane se dressa soudain et, de la crosse de son pistolet, frappa l'homme qui s'écroula. Morane s'empara de sa mitraillette et se mit à galoper à en perdre haleine en direction du promontoire. Comme il atteignait la crête, il aperçut Harambur, Kearney, Olsen et Palmer qui couraient au fond du vallon, en direction du *Trilobite*...

Derrière Morane, la jungle se mit soudain à

vivre. Une rafale de mitraillette déchira le silence mais, déjà Bob s'était jeté à terre, parmi les plantes épineuses. Au jugé, il se mit à tirer devant lui, sans relâche, jusqu'à ce que son chargeur fût vide. Il jeta alors un regard en direction du tank, pour se rendre compte que, déjà, ses quatre compagnons y avaient pénétré.

A cet instant précis, il entendit le puissant vrombissement du réacteur atomique qu'on mettait en marche.

Comme poussé par un ressort, Morane bondit et, sans se soucier des branches qui le fouettaient au passage, dévala la pente du vallon. Pour atteindre le *Trilobite*, il lui fallait franchir une vingtaine de mètres à découvert. Il s'élança mais, à peine avait-il franchi la moitié de la distance que, dans son dos, les mitraillettes crépitèrent. Avec terreur, Bob vit les balles soulever de petits nuages de poussière tout autour de lui. Sans se rendre compte s'il était touché ou non, il se laissa rouler à terre, se faisant le plus petit possible. En rampant, il se coula dans le creux d'une ornière laissée précédemment par le tank. Là, il se trouvait dans une sécurité relative mais, s'il essayait de bondir en avant, les commandos juchés sur la crête auraient tôt fait de l'abattre avant qu'il n'ait atteint le véhicule sous-marin.

Le vrombissement du réacteur se faisait de plus en plus puissant. Encore quelques instants et, peut-être, le *Trilobite* partirait sans lui. Dans ce cas, Morane se trouverait livré sans défense aux envahisseurs qui, à coup sûr, se vengeraient sur lui de leur défaite.

« Il faut que j'arrive au tank! Je dois y arriver!... »

Ses regards étaient rivés sur la porte du sas, demeurée ouverte. Il allait bondir quand, soudain, une forme humaine se découpa dans l'ouverture.

— Restez où vous êtes, Bob! hurla une voix. Restez où vous êtes...

Un trait de feu balaya la nuit. Un trait filiforme, mais dont les ravages se révélèrent terrifiants. Là-bas, la pente parut exploser et, aussitôt, une barrière de flammes et de fumée s'étendit. Les broussailles embrasées crépitaient, des flammèches volaient en tous sens. Un brasier ardent barrait à présent la vue de la crête. Alors, Bob se redressa et courut vers le tank. En quelques bonds, il l'atteignit et sauta dans le sas. Un homme s'y trouvait. C'était le professeur Kearney, et il tenait un radior à la main...

Durant un bref instant, les deux hommes s'entre-regardèrent.

— Je ne pouvais quand même pas vous laisser tuer alors que vous veniez de vous dévouer pour nous, fit Kearney. D'ailleurs, les hommes qui vous tiraient dessus se trouvaient sur la crête. Ils auront eu le temps de fuir avant d'être atteints par les flammes...

Sans répondre, Morane avait refermé la porte du sas et calé le volant. Il suivit Kearney à

54

l'intérieur du tank et, en sa compagnie, gagna l'étage supérieur où Harambur, Olsen et Palmer se trouvaient réunis dans la chambre des commandes.

— Nous pouvons partir, dit Kearney.

Assis au poste de pilotage, Palmer poussa une manette et le *Trilobite* s'ébranla. A cet instant précis, les hommes du *Hankau* firent irruption dans le vallon. Posté derrière la large baie, Morane les voyait courir au-devant du tank. Quand ils furent tout près, les mitraillettes crachèrent le feu. Instinctivement, Bob se baissa, mais les balles crépitèrent sur la kearnalumine vitrifiée de la baie sans même l'érafler. Des grenades éclatèrent sous les chenilles, sans produire plus d'effet que de vulgaires pétards. Morane comprit alors quelle puissance le nouvel alliage donnerait à la nation qui l'utiliserait à des fins guerrières, et il se félicita d'avoir, par son action désespérée, empêché les agresseurs de s'emparer du tank. Celui-ci avait pris de la vitesse et fonçait vers la mer, au sein de laquelle il s'enfonça rapidement. L'eau monta le long des baies, puis ce fut une demi-nuit rompue seulement par les reflets argentés de la lumière lunaire tamisée.

Tout autour du *Trilobite*, les formations de madrépores, tassées d'abord, prenaient des formes arborescentes au fur et à mesure que le fond s'abaissait. Bientôt, le tank chemina à travers une forêt fantomatique où les buissons coralliens se dressaient telle une végétation morte. A travers cette jungle pétrifiée, le véhicule se frayait aisément un passage, fracassant tout de la lourde lame de métal garnissant son avant.

— Il nous faudra quelque temps avant d'atteindre les grands fonds, dit Harambur. Les Bahamas sont entourées d'un vaste massif de formations madréporiques, et celles-ci ne peuvent se développer en dessous de quarante ou cinquante mètres...

Le professeur Olsen haussa les épaules.

— Que nous importe après tout, dit-il. Pour le moment, nous avons soustrait le tank à nos ennemis. C'est tout ce qui compte. Dans quelques heures...

L'archéologue n'eut pas le temps d'achever sa phrase. Une puissante déflagration avait perturbé l'eau tout autour du *Trilobite*, qui fut violemment secoué. Pendant une seconde, les lumières du poste de commande s'éteignirent, pour se rallumer presque aussitôt.

— Qu'est-ce que c'était? interrogea Harambur. On aurait dit une secousse sismique...

Mais Morane secoua la tête.

— Non, fit-il. Il s'agissait plutôt de l'explosion d'une grenade de fond, comme on en emploie pour combattre les sous-marins.

Une seconde, puis une troisième déflagrations secouèrent le tank.

— Ce sont bien des grenades de fond, dit encore Bob quand tout se fut calmé. Le cargo doit être quelque part au-dessus de nous. Il aura été averti par radio de l'échec des commandos, et il essaie de nous mettre hors de combat. Vraiment, ces gens me semblent avoir songé à tout...

— Sauf à une chose, fit à son tour Kearney, c'est que leurs grenades de fond ont été prévues pour l'attaque d'engins construits en métal ordinaire et que le *Trilobite* n'est justement pas construit dans un métal ordinaire. Ma kearnalumine se rit des explosifs...

— Mieux vaudrait cependant ne pas courir trop de risques, remarqua Harambur. Un joint quelconque pourrait être endommagé et quand nous nous en apercevrions, une fois les grandes profondeurs atteintes, il serait trop tard...

Une nouvelle secousse perturba l'eau autour du *Trilobite* qui, une fois encore, fut secoué, mais plus violemment qu'auparavant. Les hommes, sauf Palmer, demeuré assis au poste de pilotage, furent précipités sur le sol, mais sans se faire de mal.

— Steve a raison, fit Kearney en se relevant, mieux vaut nous éloigner du cargo. Poussez les réactions hydrauliques à leur plein régime, John...

Palmer manipula les commandes. Le tank s'éleva de quelques mètres au-dessus du sol sous-marin et fila brusquement droit devant lui, à la façon d'un poulpe qui fuit, en pompant l'eau dans ses réacteurs et en l'en chassant avec violence...

En quelques secondes, le *Trilobite* se fut mis hors de portée des grenades, dont on continuait à entendre les déflagrations sourdes, maintenant inopérantes.

Palmer reposa le tank sur le fond et les chenilles broyèrent à nouveau le corail.

— A présent que nous avons échappé à nos ennemis et que ceux-ci ne peuvent plus guère nous inquiéter, fit Kearney, dirigeons-nous sans retard vers le nord, en plein sur la mer des Sargasses. L'opération Atlantide vient de commencer...

CHAPITRE V

Le jour était venu. Le tank continuait à cheminer à travers le grand banc de corail des Bahamas, par une quarantaine de mètres de fond. Au-delà des baies de kearnalumine vitrifiée, tout était d'un bleu verdâtre. A cette profondeur les autres radiations solaires ne parvenaient plus. Le rouge, l'orangé, le jaune étaient morts ; il n'y avait plus que ce jour d'un bleu-vert intense, cette lumière d'un autre monde...

Un spectacle unique s'offrait cependant aux yeux des cinq voyageurs sous-marins. Le *Trilobite* avançait à travers une véritable forêt de polypiers géants, y creusant sa voie, écrasant, broyant sous sa lourde masse les concrétions calcaires s'épanouissant en de multiples rameaux. Au passage du véhicule sous-marin, des nuées de poissons filaient dans tous les sens, comme des volées d'oiseaux s'envolant devant l'approche des chasseurs. Dans l'immensité glauque, ils paraissaient noirs, mais quand Palmer sortait les antennes articulées supportant les puissants phares au xénon et qu'ils passaient dans leurs faisceaux, ils flamboyaient soudain, rouges, violets, bleus, mordorés ou striés fantastiquement de mauve, de jaune et de carmin.

Le sol sur lequel progressait le *Trilobite* était recouvert d'une couche de vase blanchâtre, faite de débris de polypiers et de calcaire pulvérulent.

Bien qu'il eût l'habitude de l'exploration sous-marine à faible profondeur, Bob ne pouvait s'arracher au spectacle se déroulant sous ses yeux. Spectacle toujours le même et pourtant toujours renouvelé. Assis auprès de lui, contre la baie, le professeur Harambur discourait à perte de vue. Le biologiste connaissait chaque polypier, chaque algue, chaque anémone de mer, chaque oursin, chaque céphalopode, chaque poisson par son propre nom. Il décrivait leurs façons de se nourrir et de se reproduire. Un véritable cours de biologie sous-marine qu'il donnait là à Morane, et la rancune qu'il avait jusqu'ici témoignée à l'égard de ce dernier semblait à présent totalement endormie...

Vers midi, le tank stoppa brusquement. Devant lui, un gouffre béait, énorme, insondable, allant du bleu sombre au noir le plus profond.

— Le banc des Bahamas prend fin ici, expliqua Harambur. Devant nous commence la zone des grands fonds...

Il se tourna vers le professeur Kearney.

— A vous de montrer maintenant, mon vieux Bill, de quoi votre *Trilobite* est capable... Nous ne tarderons pas à atteindre des fonds de trois à quatre mille mètres.

Le physicien sourit avec assurance.

— Soyez sans crainte, Steve, le tank tiendra le coup. Il pourrait descendre sans danger jusqu'à dix mille mètres et plus. Croyez-vous que, si je n'avais pas cette assurance, je serais ici, occupé à risquer ma vie? Si votre Atlantide existe, nous l'atteindrons...

Harambur s'approcha de la grande carte de l'Atlantique Nord tapissant tout le fond de la salle des commandes. Il posa le doigt au centre d'un cercle marqué au crayon rouge, à mi-distance environ entre les îles Bahamas et les Bermudes.

— C'est au centre de cette zone que le chalut du *Prometheus* a ramené ma mystérieuse statuette d'obsidienne. Si elle provient réellement de l'Atlantide, c'est également dans cette zone que nous en découvrirons les vestiges...

Morane se mêla à la conversation :

— L'endroit que vous désignez, professeur Harambur, se trouve en plein centre de la mer des Sargasses. C'est au milieu de cette mer encombrée d'algues flottantes que les vieilles légendes situaient l'île des vaisseaux perdus. Selon ces légendes, vous le savez, toutes les épaves de l'Atlantique, poussées par les courants, viendraient s'engluer au milieu de la mer des Sargasses où, immobilisées par les algues, elles demeureraient agglomérées pour former une sorte d'île flottante. Naturellement, toutes les recherches destinées à découvrir cette île furent vaines. Vous-même, professeur Harambur, avez parcouru la mer des Sargasses dans tous les sens sans y trouver trace de l'île des vaisseaux perdus. Espérons que votre Atlantide sera, elle, moins fantaisiste...

L'indignation sembla empoigner soudain le biologiste.

— Mon Atlantide!... Mon Atlantide!... hoqueta-t-il. Sachez, jeune homme, que ce n'est pas de « mon » Atlantide qu'il s'agit. Vous en parlez comme si c'était moi qui avais inventé ce terme. Déjà, Hérodote et Platon en parlaient dans leurs écrits, plusieurs centaines d'années avant notre ère, et on a continué à en parler pas mal depuis... D'ailleurs, ma statuette, elle, est une réalité bien tangible. Je vous le répète, les experts du British Museum, dont le professeur Olsen, sont formels à ce sujet : cette statuette n'appartient à aucune civilisation connue... D'ailleurs, croyez-vous que nous aurions entrepris cette coûteuse et, il faut l'avouer, dangereuse expédition, si nous n'avions pas le moindre espoir de découvrir ce que nous cherchons?...

— Surtout, n'oubliez pas les gisements de minéraux radioactifs, dit Bob avec un petit sourire narquois. Ils peuvent se révéler être, eux, d'un rapport plus direct que ce problématique continent englouti...

Le colosse haussa ses lourdes épaules.

— Pensez ce que vous voulez, commandant Morane. Après tout, je ne vois pas pourquoi je discute avec vous. Vous êtes un intrus ici, et rien d'autre...

Morane n'avait pas cessé de sourire. Il s'amusait des emballements du professeur Harambur, et il aimait le harceler à la façon d'un taon attaquant un taureau furieux. Peut-être aussi, au fond de lui-même, n'avait-il pas oublié ce fameux coup de poing qui, quelques jours plus tôt, l'avait mis hors de combat.

— Un intrus? fit Bob. C'est prisonnier que vous devriez dire, professeur... Si l'on s'en rapporte au droit des gens...

Voyant que la conversation menaçait de tourner mal, le professeur Kearnoy intervint.

— Cessez de vous chamailler tous les deux, M. Morane a été mêlé à tout ceci par un malheureux concours de circonstances. Tout à l'heure, je vous croyais complètement réconciliés, mais je m'aperçois qu'il n'en était rien... Vous, Steve, puisque Morane doit demeurer avec nous jusqu'à la fin de l'expédition, mieux vaut vous entendre avec lui. Après tout, c'est grâce à son intervention que le *Trilobite* n'est pas tombé au pouvoir de nos ennemis... Allons, serrez-vous la main tous les deux...

Quand Morane et Harambur eurent obéi à l'injonction du physicien, celui-ci sourit et montra, par la baie, le gouffre béant s'ouvrant devant le tank.

— Maintenant, la grande aventure commence…

Kearney prit la place de Palmer aux commandes. Par le jeu des ballasts le *Trilobite* s'éleva à quelques mètres au-dessus des formations coralliennes, puis il fila en avant sous l'impulsion des réacteurs hydrauliques, pour s'immobiliser ensuite au-dessus du gouffre bleu. Kearney ouvrit à fond les valves des ballasts et le tank se mit à descendre doucement.

*
**

Après quatre heures de descente au sein d'une nuit étoilée par la course de poissons et de crustacés phosphorescents, le *Trilobite* avait touché le fond recouvert d'une couche plus ou moins épaisse de boue siliceuse faite de squelettes d'animaux marins microscopiques, radiolaires, diatomées ou foraminifères. Ces sédiments, amalgamés avec de l'argile, formaient cependant une croûte solide, sur laquelle les chenilles du tank trouvaient un appui sûr. Partout, sur cette surface lisse, la vie se manifestait : actinies aux corolles pareilles à des dentelles, oursins aux longues baguettes, ophiures aux bras mobiles comme des serpents, holothuries longues parfois de près d'un mètre et aplaties en forme de semelles. Pris dans les puissants faisceaux des projecteurs au xénon, ces êtres fulguraient soudain de couleurs vives. Les actinies ressemblaient à des fleurs aux teintes rares, les oursins se violaçaient, les ophiures faisaient songer à des nœuds de reptiles orange ou pourpres.

Pourtant, la vie ne se limitait pas à ce stade quasi végétatif. De grands squales bleus passaient comme des torpilles, des raies géantes battaient de l'aile. Il y avait aussi des poursuites féroces. Des *Stomias boas* et des *Chaulodius* aux mâchoires garnies de dents longues et acérées, pareilles à des aiguilles, des *Saccopharynx* ou des *Eurypharynx* aux gueules démesurées, pareilles à des pièges, tous ces poissons voraces lancés telles des flèches phosphorescentes sur des proies aussi grosses qu'eux mais moins bien armés. Ballet lumineux et tragique dont la mort réglait chaque figure. Au fond des abysses où, faute de lumière, les algues ne pouvaient vivre, les modestes poissons brouteurs d'herbes de la zone côtière avaient disparu pour faire place à ces carnivores redoutablement armés et affligés d'une incurable boulimie.

Depuis plusieurs heures, le *Trilobite* progressait vers le nord. Les bathymètres marquaient une profondeur de deux mille trois cents phatoms. Environ quatre mille mètres. Aucun incident notable n'était venu marquer l'avance, sauf peut-être une nouvelle conformation du sol qui se soulevait en une multitude de petits cônes, hauts de cinquante centimètres à peine et qui devaient servir de refuge à des animaux fouisseurs d'une espèce encore inconnue. On eût dit une multitude de pyramides minuscules serrées les unes contre les autres et s'étendant à perte de vue sous la lumière blanche du xénon.

Ces étranges formations ne manquaient pas d'intriguer le professeur Harambur. Sa passion pour toutes les manifestations de la vie sous-marine ne se trouvait jamais en défaut.

— Il faut absolument savoir ce que cachent ces cônes insolites, dit-il finalement. Après tout, nous sommes ici en explorateurs et nous devons tenter d'éclaircir tout mystère, physique ou zoologique, se présentant à nous...

— Vous avez raison, Steve, approuva Kearney. Allez revêtir un scaphandre pour visiter quelques-uns de ces cônes. Mais vous ne pouvez sortir seul. La règle de l'expédition est formelle à ce sujet, et elle ne peut être transgressée. Pourquoi Morane ne vous accompagnerait-il pas ? Ce serait pour vous deux une excellente occasion de conclure une paix définitive...

Morane et Harambur acquiescèrent. Bob se sentait impatient de fouler le sol des grands fonds. En outre, les mystérieux cônes l'intriguaient lui aussi.

Le *Trilobite* avait stoppé. Morane et Harambur revêtirent le scaphandre rigide, au casque de kearnalumine vitrifié. Par-dessous, ils portaient d'épaisses combinaisons en mousse de néoprène pour éviter le contact désagréable du métal. Ainsi équipé, le radior fixé à l'épaule, la hache et le poignard à la ceinture, les deux hommes gagnèrent le sas. Quelques minutes plus tard, ils foulaient le sol sous-marin.

Lentement, ils se dirigèrent vers l'avant du tank, afin de profiter de l'intense lumière des projecteurs au xénon. Leur marche était rendue difficile par la présence des cônes, entre lesquels il leur fallait poser les pieds sans trouver la place nécessaire pour leurs larges semelles plombées. A part cela, leurs mouvements se révélaient aisés. Leurs armures de kearnalumine, relativement légères, ne les entravaient de nulle façon.

Parvenu à une dizaine de mètres en avant du tank, Harambur se baissa et, à coups de hache, se mit en devoir d'éventrer l'un des cônes. Un énorme crabe bleu en jaillit. Ses pinces, larges comme des mains d'hommes, se refermèrent sur les doigts du savant, sans réussir à entamer le gantelet de kearnalumine. Un second cône, puis un troisième et un quatrième furent ouverts de la même façon. Tous contenaient un grand crabe bleu, aux pinces redoutables.

Le professeur Harambur sortit l'antenne de son poste à ondes courtes. De la main, il désigna l'étendue bossuée par les cônes, aussi loin que les faisceaux des projecteurs pouvaient porter. Son visage était tourné vers Morane.

— Des crabes, rien que des crabes, dit-il. Des myriades de crabes d'une espèce inconnue...

— Nous sommes toujours assurés de ne pas mourir de faim, dit Bob. J'ai toujours aimé les crustacés...

Harambur ne parut pas avoir entendu cette réflexion d'ordre culinaire.

— Je me demande bien à quoi peuvent servir ces cônes et pourquoi ces crabes s'enterrent ainsi? Pour pondre peut-être...

Le savant n'acheva pas. Une ombre, semblable à celle d'une gigantesque araignée, passa soudain dans les faisceaux des projecteurs. Les deux homme firent volte-face, pour se trouver devant une vision de cauchemar. Une monstruosité pourpre fondait sur eux. Un corps long de cinq mètres, fusiforme et terminé par une nageoire caudale en forme de flèche. Autour de la tête ronde, aux yeux jaunes larges comme des tambours, huit tentacules à peu près aussi longs que le corps et épais comme la taille d'un homme, se groupaient en une monstrueuse corolle. Deux tentacules supplémentaires, rétractiles et terminés par deux larges pales en forme de fer de lance, s'étiraient jusqu'à une longueur de dix mètres.

— Un calmar géant ! s'exclama Morane.

— Oui, un calmar géant, fit en écho le savant. Je dirais même qu'il s'agit là d'un *Architeuthis monachus*...

Sous sa carapace de kearnalumine, Bob ne put s'empêcher de frémir. Il connaissait ces encornets monstrueux, aux ventouses garnies de crochets, et il sentit la peur l'envahir.

— Il vient sur nous, hurla-t-il.

Se jetant sur le sol, Bob réussit à éviter un des longs tentacules qui, lancé comme un fouet, tentait de le saisir. Harambur eut moins de

68

chance. Le second tentacule rétractile s'était enroulé autour de sa taille et, déjà, le calmar l'entraînait en dehors du champ des projecteurs.

Impuissant, Morane assistait au drame. Il savait ne pouvoir rien faire pour son compagnon. Le céphalopode monstrueux se trouvait déjà hors de sa portée. Bientôt, il disparaîtrait avec sa proie dans les ténèbres insondables des abysses.

« Le radior! pensa soudain Bob. Le radior!... »

Il savait la kearnalumine imperméable à toute radiation. En lançant un rayon calorifique, il ne risquait donc pas de tuer Harambur. Fébrilement, il décrocha l'arme fixée à son épaule et visa la forme mouvante du calmar. Le mince trait de feu du radior atteignit le monstre en plein corps. Il y eut une sorte d'éclatement, un bref bouillonnement. Le calmar détendit ses bras et coula, inerte, vers le fond.

Morane vit la forme brillante, métallique du professeur Harambur tomber doucement, elle aussi. Mettant en marche le petit réacteur hydraulique fixé au dos de son scaphandre, Bob se dirigea vers le savant, désespérant le retrouver vivant. Mais la cuirasse de kearnalumine avait protégé Harambur contre l'étreinte mortelle de l'*Architeuthis*. Déjà, le biologiste s'était redressé.

— Ouf! on peut dire que vous êtes intervenu à temps... Encore quelques secondes et ce titan visqueux m'entraînait à jamais à travers la nuit des profondeurs...

Sa main gainée de métal chercha celle de Morane.

— Merci de m'avoir sauvé, dit-il. Et moi qui vous montrais de l'hostilité...

— Ce n'est pas moi qu'il faut remercier, fit Bob, mais le radior. Sans lui et la kearnalumine qui vous protégeait contre ses radiations, je ne pouvais rien faire...

Il désigna le tank.

— Je crois qu'il serait temps de regagner le *Trilobite*. Nous savons ce que contiennent ces cônes, et puis nous avons eu bien assez d'émotions pour aujourd'hui...

Côte à côte, les deux hommes se mirent en route vers le tank. Ils avaient à peine fait quelques pas qu'Harambur posa la main sur le bras de son compagnon.

— Un autre *Architeuthis* !

Un second calmar monstrueux avait jailli des profondeurs ténébreuses. Mais il sembla dédaigner les hommes pour s'en prendre au tank lui-même. Ses deux longs tentacules rétractiles s'enroulèrent autour du gouvernail de direction, tandis que les autres cherchaient à trouver prise sur le métal lisse du véhicule lui-même.

Morane s'apprêtait à se servir de son radior quand un nouvel acteur entra en scène. Un énorme cachalot descendu à la recherche de grands céphalopodes abyssaux dont il faisait sa nourriture habituelle.

Déjà, le calmar avait aperçu son ennemi, qui

70

fondait sur lui, les mâchoires largement ouvertes. Abandonnant le *Trilobite*, le grand décapode accepta le combat, essayant, de ses longs tentacules rétractiles aux ventouses munies de griffes, de museler son adversaire. Mais les dents du cachalot, garnissant seulement la mâchoire inférieure et se logeant dans les alvéoles de la mâchoire supérieure, déchiquetaient les bras musculeux. Combat farouche, d'où l'on ne pouvait dire si le mammifère marin ou le céphalopode sortirait vainqueur. Sous l'étreinte de son ennemi, le cachalot se dressait parfois verticalement, battant le sol du fond de sa large nageoire caudale. A chaque instant, les tentacules affermissaient leur prise ; à chaque instant, les terribles mâchoires se refermaient sur la chair molle de l'*Architeuthis*

Morane et Harambur s'étaient jetés à terre et assistaient, avec un émerveillement mêlé d'horreur, à ce combat de titans. Dans le tank, Kearney, Olsen et Palmer devaient être en proie aux mêmes sentiments. Aucun d'eux ne semblait songer à braquer le grand radior orientable pour foudroyer les deux monstres.

Petit à petit cependant, le cachalot semblait prendre l'avantage. Ses bras tranchés un à un, le calmar ne fut bientôt plus qu'une masse impuissante, et un dernier coup des redoutables mâchoires l'acheva. Emportant entre les dents de gros tronçons de tentacules, le cétacé fila vers la surface pour respirer.

Se relevant, Morane et Harambur échangèrent un long regard. Le premier, Bob retrouva l'usage de la parole.

— Pour un spectacle, c'était un fameux spectacle, dit-il.

Le géant hocha la tête affirmativement.

— Un spectacle auquel personne à ce jour n'a encore assisté. Vraiment, je n'aurais voulu manquer ça pour rien au monde...

Les deux scaphandriers regagnèrent le tank, sans rencontrer d'autres ennemis cette fois. Quand, aidés par leurs compagnons, ils se furent débarrassés de leurs armures de kearnalumine, les commentaires sur le combat qui venait de se dérouler allèrent leur train. Le *Trilobite* reprit sa route vers le nord, avec une patience de chenille, à travers cet univers de nuit et de terreur. Un univers jusqu'à présent inviolé où s'ébattait une faune de démons sortis d'un enfer hors de la mesure de l'homme.

CHAPITRE VI

— Là-bas, regardez!

Bob Morane tendait le bras et, à travers la baie de kearnalumine vitrifiée, il désignait une forme insolite, à une cinquantaine de mètres en avant du tank. Cette forme se découpait dans la lumière des projecteurs et, au fur et à mesure que le *Trilobite* s'en rapprochait, elle se précisait.

— On dirait un navire, fit Olsen.

Il s'agissait bien d'un navire. La carcasse pourrie d'un voilier amputé de ses mâts et reposant sur le fond. Depuis combien de temps? Il eût été bien difficile de le dire avec précision.

— Si j'en juge par la disposition des écubiers et la forme de l'étrave, fit remarquer Morane, il doit s'agir là d'une frégate de l'époque napoléonienne. Il doit donc y avoir plus d'un siècle et demi qu'elle gît là...

Kearney haussa les épaules.

— Qui sait!... Après avoir été abandonnée par son équipage, peut-être a-t-elle erré encore pendant des années, jouet des vents et des courants, pour finir par atteindre cette zone de calme et, sa coque rongée par la pourriture, couler finalement par le fond...

Depuis plusieurs jours déjà, le *Trilobite* cheminait à travers les vastes plaines abyssales. On avait gagné un point situé approximativement par 28° de latitude nord et 63° de longitude ouest, sous la mer des Sargasses. Dans une journée, deux au maximum, Harambur comptait atteindre l'endroit où l'énigmatique statuette d'obsidienne avait été remontée par le chalut du *Prometheus*.

Pour l'instant, l'épave du voilier captait toutes les attentions. Le véhicule sous-marin était arrivé à sa hauteur, puis l'avait dépassée, quand John Palmer pointa le doigt vers la gauche. Une seconde épave — un *derelict*[1] comme disent les gens de mer —, gisait là. Cette fois, il s'agissait d'un cargo datant approximativement de la Première Guerre mondiale, à la coque à demi dévorée par la rouille.

A partir de cet instant, les explorateurs allèrent de surprise en surprise. Partout, des *derelicts* reposaient sur le fond, en nombre incalculable et dans un désordre total. Il y avait là, pêle-mêle, de vieilles caraques portugaises et des caravelles espagnoles du XVe siècle, des galions de la Flotte de l'Or qui, au XVIIe siècle transpor-

1. Mot anglais signifiant « objet abandonné ». En droit maritime, ce terme désigne un navire abandonné par son équipage, donc une épave.

taient les trésors du Nouveau Monde vers l'Espagne, des vaisseaux à trois ponts, des corvettes, des quatre-mâts-barques, des frégates à roues du milieu du XIXe siècle, de vieux croiseurs-cuirassés à éperon ou de modernes vaisseaux de guerre dont certains munis déjà d'une antenne-radar, sans oublier une multitude de goélettes, de cotres et autres bâtiments de petit tonnage. De-ci, de-là, on apercevait la longue forme d'un sous-marin couché sur le flanc. Il y avait aussi de nombreux cargos, de tous types, depuis le puissant *liberty-ship* jusqu'au fin bananier, en passant par le pétrolier au pont surbaissé. C'était à travers un véritable cimetière marin que le *Trilobite* cheminait à présent. La lumière crue de ses projecteurs donnait à ces épaves, qu'aucune algue ne camouflait, un aspect fantomatique.

Le professeur Harambur triomphait.

— Vous souvenez-vous, Bob, dit-il à Morane, d'avoir parlé, au début de cette expédition, de cette légendaire île des vaisseaux perdus, cherchée en vain à travers toute la mer des Sargasses ? Eh bien ! elle existe, non pas en surface, mais par quelque quatre mille mètres de fond ! A vrai dire, ce n'est pas une île, et pour cause... Plutôt un gigantesque cimetière où les épaves de l'Atlantique tout entier viennent finalement s'engloutir. Après avoir erré longtemps, poussés par les vents et les courants, ces *derelicts* parviennent à bout de course, au centre de cette mer où ils s'arrêtent, non pas immobilisés par les algues comme le veut la légende, mais par le calme qui y règne. Les courants tournent autour de la mer des Sargasses pour en faire une sorte de vaste cirque marin aux eaux mortes. Jadis, au temps de la navigation à voile, les navigateurs évitaient avec soin cette région de l'océan, de peur d'y encalminer leurs vaisseaux. De nos jours, la mer des Sargasses garde la même mauvaise réputation, non plus à cause des mines flottantes, vestiges des deux guerres mondiales et qui, finalement, viennent terminer leur carrière au milieu des masses d'algues immobiles. Lorsque le *Prometheus* croisait dans ces parages, nous vivions sans cesse dans la crainte de toucher l'une de ces mines...

— Ainsi, fit Bob, après être venus s'immobiliser dans la mer des Sargasses, les *dereclits* coulent les uns après les autres pour se poser ici et y dormir de leur dernier sommeil de vaisseaux fantômes...

— C'est exactement cela, approuva le biologiste. L'île des vaisseaux perdus, où les caravelles de la Spanish Main[1] voisineraient avec les épaves de nos vapeurs les plus modernes, ne peut exister. Non seulement parce que, souvent, les *dereclits* dérivent entre deux eaux mais aussi parce que, lorsqu'une épave actuelle atteint la mer des Sargasses, il y a beau temps que celles des vieux voiliers à coques de bois reposent sur le fond.

1. « Spanish Main » : textuellement « haute mer espagnole ». Ancien nom donné par les Anglais à la mer des Antilles.

De toute la puissance de ses larges chenilles, le *Trilobite* continuait sa route à travers le champ d'épaves, dont beaucoup — les plus anciennes — n'étaient plus que des squelettes de navires, réduits à leurs seules charpentes...

Morane et ses compagnons ne pouvaient naturellement se résoudre à passer leur chemin sans visiter certaines de ces épaves, espérant y faire de précieuses découvertes. Pourtant, contrairement à ce qu'ils escomptaient, ils n'y trouvèrent aucun trésor. Seulement des planches pourries, des tôles percées par la rouille, des canons démantibulés et des soutes remplies d'objets sans valeur. Aussi quelques squelettes demeurés emprisonnés dans des cabines et des pieuvres géantes qu'il fallut éloigner à coups de radiors.

— Il n'est pas possible qu'aucun de ces vaisseaux ne contienne pas des objets précieux, fit finalement remarquer Morane. Des centaines de galions ont jadis été coulés avec leurs riches cargaisons, et justement dans ces parages. Si nous ne nous trouvions pas par quatre mille mètres de fond, je dirais que quelqu'un est passé avant nous...

Kearney se mit à rire.

— Après tout, Bob, nous avons visité seulement quelques épaves. Sans doute n'étaient-ce pas celles qu'il fallait. Nous ne pouvons quand même pas pénétrer à l'intérieur de toutes ces vieilles coques. Une vie humaine n'y suffirait pas. Et puis, nous sommes des savants, et non des chercheurs de trésors...

Morane n'insista pas. Après tout, les trésors ne l'intéressaient pas tellement pour eux-mêmes, mais pour le goût d'aventure qui s'y rattachait... Pourtant, rien qu'à l'idée de découvrir des richesses issues de l'Empire des Incas et ayant échappé à la rapacité des aventuriers de toutes sortes qui, au XVIIe siècle, avaient écumé les eaux du centre Atlantique, son imagination s'enflammait...

Ce jour-là — comme ce mot sonnait étrangement dans ce royaume de la nuit éternelle —, ce jour-là, donc, Bob Morane, Harambur et Kearney, revêtus de leurs scaphandres de kearnalumine, étaient partis en exploration. A une vingtaine de mètres au-dessus d'eux, le *Trilobite* planait, gigantesque crustacé de métal brillant, fouillant de ses projecteurs l'étendue marine.

Depuis la veille, on avait atteint la zone dans laquelle avait été pêchée l'énigmatique statuette d'obsidienne. Le terrain montait en une côte assez raide. De temps à autre, la masse sombre d'un *dereclit* se découpait dans la lumière blanche du xénon. Finalement, la côte prit fin. A nouveau, ce fut la plaine unie, mais barrée maintenant par des crevasses et des crêtes de basalte nu, semblables à des échines de sauriens gigantesques pétrifiés depuis l'origine des temps.

La voix d'Olsen, venue du tank, retentit dans les écouteurs des scaphandres :

— Les bathymètres indiquent une dénivellation de cinq cents mètres. Nous devons avoir atteint le sommet d'un assez vaste plateau sous-marin. Peut-être est-ce votre Atlantide, Steve...

Harambur jeta un long regard autour de lui, balayant l'étendue du rayon du projecteur placé à l'intérieur de son casque.

— En fait d'Atlantide, dit-il, cela me paraît plutôt maigre. Des épaves et des poissons lumineux. C'est tout. Pourtant, nous nous trouvons bien dans la zone où ma statuette fut pêchée...

— Qui sait s'il ne s'agissait pas là tout simplement d'une très vieille figurine aztèque, ou même plus ancienne, fit Morane. Un conquistador l'aura emportée dans ses bagages en regagnant l'Espagne. Son navire aura fait naufrage et, quatre cents ans plus tard, le chalut du *Prometheus* aura ramené ladite statuette.

Harambur secoua la tête.

— Cette possibilité a été envisagée, Bob, et elle n'a pas été retenue. Je vous l'ai dit déjà. En outre, les compteurs Geiger nous ont prouvé que, sous la couche de sédiments, il existait d'importants gisements de minéraux radioactifs qui peut-être, grâce aux moyens dont nous disposons, pourront bientôt être exploités. Avec de nombreux tanks pareils au *Trilobite*, des excavatrices d'un modèle nouveau, complètement automatiques...

Morane interrompit le biologiste :

— Je ne voudrais pas encore jouer les trouble-fête, professeur, mais rien que percer la couche de sédiments serait déjà une fameuse besogne. Si je ne me trompe, l'accumulation de ces sédiments marins se fait à raison de dix à vingt mètres d'épaisseur par million d'années... En accumulant les millions d'années, cela peut avoir formé une jolie croûte qu'il faudrait percer avant d'atteindre la roche et les gisements...

Machinalement, et sans grande conviction bien sûr, Bob s'était agenouillé. A coups de hache, il se mit à creuser la couche sédimenteuse. Soudain, il s'arrêta et poussa une exclamation de surprise.

— Ça par exemple ! Regardez, professeur. J'ai à peine creusé à vingt centimètres de profondeur, et voilà déjà la roche.

Harambur et Kearney s'agenouillèrent à leur tour, pour élargir l'excavation pratiquée par Bob. Aussitôt, ils durent se rendre à l'évidence : la roche était là, à une vingtaine de centimètres. D'autres trous, creusés à quelque distance, donnèrent le même résultat. Harambur décrocha de sa ceinture un petit mètre pliant en métal et sonda la profondeur de l'un des trous. Un rugissement encore amplifié par les écouteurs, parvint aux oreilles de ses deux compagnons :

— Vingt-deux centimètres[1] ! Par tous les saints du paradis et tous les diables de l'enfer,

1. Il est évident que le professeur Harambur, étant anglais, n'emploie pas le système métrique. Nous avons transposé ces mesures pour la facilité du lecteur.

c'est le compte juste. Vingt-deux centimètres!...
Nous avons bien atteint l'Atlantide, mes amis!...

A travers la kearnalumine vitrifiée de leurs casques, Morane et Kearney regardèrent le géant avec inquiétude. Harambur s'était mis à tourner sur lui-même, esquissant une étrange danse au ralenti, chantant sur l'air de *Auld Lang Syne* :

— Nous sommes sur l'Atlantid' mes frères! Nous sommes sur l'Atlantid'! Oui nous avons gagné, mes frères, nou... ous sommes sur l'Atlantid'!...

Kearney posa la main sur l'épaule de son ami.

— Ah, ça! Auriez-vous perdu la tête, Steve?...

Le biologiste s'immobilisa soudain.

— Perdu la tête? fit-il. On la perdrait à moins. Vous ne vous rendez pas compte? Tout juste vingt-deux centimètres!...

— Je veux bien être pendu par les pouces si je comprends où vous voulez en venir, professeur, fit Morane.

— Je ne comprends guère plus, je l'avoue, dit à son tour Kearney.

Harambur parut tout à coup exploser. Sa voix résonna comme celle d'un ouragan :

— Ânes bâtés!... Chairs à saucisses!... Pithécanthropes obtus!... Lémuriens abrutis... Limaces stupides...

Il sembla soudain se calmer, comme épuiser par l'effort.

— Est-ce bien vous, Bill, qui avez mis au point

la kearnalumine et un tas d'autres trucs plus géniaux les uns que les autres ? Et vous, Bob, si vous avez été commandant, à qui avez-vous commandé ? A des soldats de plomb ?... Vingt-deux centimètres... Ces trois mots auraient dû vous éclairer depuis longtemps. Voyons, la couche sédimenteuse, au fond des océans, s'accroît, en portant les choses à leur maximum, d'une épaisseur de vingt mètres environ par million d'années, ce qui nous donne deux centimètres par millénaire. Or, d'après Platon, l'Atlantide aurait disparu sous les flots neuf mille ans avant notre ère. Nous ne sommes pas loin de l'an deux mille. Neuf plus deux font onze. En multipliant nos deux centimètres par onze, nous obtenons vingt-deux. L'Atlantide aurait disparu sous les flots il y a onze mille ans et, à raison de deux centimètres de sédiments par millénaire... Comprenez-vous maintenant où je veux en venir ?

Kearney fit la grimace.

— Si je comprends, Steve ! Tout à l'heure j'ai cru pendant un instant que vous aviez perdu la tête. En réalité, je n'avais pas toute la mienne...

— Vous avez raison, professeur ! s'exclama à son tour Morane. Je suis un âne bâté, de la chair à saucisse, un pithécanthrope obtus, un lémurien abruti, une limace stupide... Vingt-deux centimètres ! C'était clair comme de l'eau de roche...

Bob promena longuement ses regards autour de lui, aussi loin que pouvait porter la lumière de son projecteur.

— Ainsi, ce serait cela l'Atlantide? fit-il encore. Pas folichon comme coin... Mais, si je ne me trompe, professeur, Platon situait bien son Atlantide à l'ouest de Gibraltar, et nous en sommes loin...

— Il y avait probablement plusieurs îles Atlantide, dont celle-ci, si l'on peut encore appeler cela une île, était la plus occidentale...

A ce moment, le *Trilobite*, qui s'était éloigné un peu en direction du nord, revint vers les trois hommes. La voix d'Olsen retentit :

— Avancez droit devant vous, jusqu'à la prochaine crête rocheuse. Nous avons découvert quelque chose...

— Une découverte du tonnerre! fit à son tour John Palmer.

Déjà le tank, pivotant sur lui-même, filait dans la direction d'où il était venu.

Morane, Kearney et Harambur s'entre-regardèrent puis, d'un commun mouvement ils mirent en marche les petits propulseurs hydrauliques qui, fixés à leurs dos, leur permettaient d'avancer sans marcher sur le sol, la tête en avant, comme des torpilles.

Le premier, Morane prit pied sur la crête rocheuse désignée par Olsen. Presque aussitôt, les deux savants vinrent se poser près de lui. Un spectacle prodigieux les attendait. Le *Trilobite* planait très haut, ses phares, montés sur pédoncules, dirigés vers le bas. Ce n'était pas seulement le sol abyssal qu'ils éclairaient de leur dure lumière blanche, mais toute une citée engloutie, avec ses palais, ses temples en ruine, ses obélisques et ses monstrueuses statues de dieux inconnus...

CHAPITRE VII

— Atlantis !... Nous sommes aux portes d'Atlantis !... murmura Stephen Harambur.

Bob et Kearney, eux, ne disaient rien, sous le coup d'une sorte d'émerveillement intérieur. Sous les puissants projecteurs du tank, les bâtiments de la cité engloutie prenaient un aspect fantastique et irréel. Beaucoup de ces bâtiments étaient dans un état de ruine assez avancé ; pourtant ils paraissaient attendre, depuis des millénaires, la venue de leurs découvreurs. Il semblait à Morane qu'en ce moment tous les rêves sommeillant dans les cœurs des hommes étaient en train de se réaliser. Au cours de son existence fertile en surprises, Bob avait abordé déjà à des univers de légende ou de terreur, mais il s'était rarement senti empoigné comme en cet instant.

— Si nous faisions notre entrée triomphale, dit-il. Peut-être le comité de réception a-t-il déjà été averti de notre arrivée...

— Oui, dit Kearney, un comité de réception composé de spectres en habits d'apparat…

— Allons-y, fit Harambur à son tour. J'ai hâte de fouler les pavés millénaires d'Atlantis…

— En fait de pavés, nous aurons vos vingt-deux centimètres de sédiments, remarqua Morane. Mais ne soyons pas trop difficiles. Pavés ou non, j'ai hâte moi aussi de visiter cette cité qui a déjà fait couler tant d'encre…

Mettant en marche leurs propulseurs hydrauliques, les trois hommes se dirigèrent vers les ruines, à l'entrée desquelles ils se posèrent. Le *Trilobite* planait toujours à une vingtaine de mètres de hauteur. La porte du sas s'ouvrit et un homme vêtu d'un scaphandre de kearnalumine se laissa tomber doucement vers le fond. Quand il eut atteint celui-ci, il rejoignit Morane et ses compagnons. C'était le professeur Olsen.

— J'ai laissé à Palmer le soin d'éclairer notre route, expliqua-t-il. Je suis l'archéologue de l'expédition, ne l'oubliez pas, et ma place est ici…

Personne ne songea à contester ce droit au professeur Olsen, et les quatre hommes s'engagèrent dans une large avenue bordée de chaque côté par de massives pyramides à degrés faites d'énormes blocs joints sans ciment et dont le sommet, dans la plupart des cas, s'était effondré. Devant chaque pyramide, qui devait servir jadis de base à un temple, une grande statue de pierre. Beaucoup de ces statues étaient renversées et

86

même brisées, mais d'autres demeuraient debout, montrant des mufles grimaçants, aux traits mi-humains, mi-bestiaux. Parfois, de larges crevasses barraient le passage, et les explorateurs devaient les franchir en s'aidant de leurs réacteurs hydrauliques. Il y avait encore des épaves placées au travers de l'avenue, et qu'il fallait contourner. Des bâtiments eux-mêmes, des poissons étranges, pour la plupart dotés d'organes lumineux, sortaient et fuyaient à l'approche des hommes. A plusieurs reprises, de grands calmars ou même de grands squales parurent, mais ils ne firent pas mine d'attaquer.

A un moment donné, le professeur Harambur s'arrêta devant une grande statue se dressant au pied d'une pyramide. Elle représentait un être monstrueux, mi-homme, mi-poisson, avec de gros yeux globuleux et une gueule de requin.

— Ma statue d'obsidienne provenait bien de cet endroit, dit le biologiste. En voilà le double gigantesque.

— On dirait un dieu-poisson, fit remarquer Bob.

— Chacune de ces pyramides a dû être dédiée à un dieu précis, expliqua Olsen. Comme tous les anciens peuples, les Atlantes devaient s'être composé une mythologie compliquée, composée de dieux redoutables, monstres assoiffés de sang, qui les faisaient vivre dans la terreur...

La marche reprit, entrecoupée de nombreux arrêts pour étudier une sculpture, un bas-relief, une dalle couverte de caractère hiéroglyphiques. Morane, qui traînaillait en arrière, se baissa soudain pour ramasser un petit objet, brillant comme de l'or, à demi enfoncé dans la couche de sédiments. C'était un doublon espagnol, à l'effigie de Philippe II. Bob se mit à rire pour lui seul. « Voilà bien l'unique morceau d'or que nous découvrons depuis le début de cette expédition, songea-t-il. Jadis, des centaines de vaisseaux espagnols ont été coulés en cet endroit, mais il ne reste rien des trésors qu'ils transportaient. Comme s'ils s'étaient littéralement volatilisés. »

Sans plus se soucier autrement de sa trouvaille, Morane entreprit de rejoindre ses compagnons. Pour cela, il devait passer contre la coque de l'épave d'un cargo charbonnier barrant l'avenue sur presque toute sa largeur. Il allait déboucher de l'autre côté, quand soudain une grande ombre noire sortit de dessous la quille de l'épave et un corps long et serpentin, qui avait bien le diamètre d'un pneu de camion lourd, vint s'enrouler autour de sa taille. Tout d'abord, Morane crut avoir été saisi par un des tentacules d'un grand calmar à l'affût d'une proie, mais il se détrompa vite. Le corps en question était sombre et pourvu d'une nageoire en forme de crête. Presque aussitôt, une tête apparut. Une tête pointue avec des yeux jaunes. Une tête d'anguille, mais d'une anguille géante, de la taille des plus gros pythons.

Déjà, Morane avait les jambes et les bras immobilisés par le monstrueux poisson-serpent.

Protégé comme il l'était par son armure de kearnalumine, il savait ne pas devoir craindre l'écrasement. Pourtant, il ne pouvait demeurer ainsi prisonnier, en attendant que ses amis reviennent sur leurs pas pour le délivrer. Lentement, l'anguille l'attirait vers un trou de la coque. Bob tenta de se dégager, mais en vain. Alors, il trouva plus sage d'appeler à l'aide.

— Une anguille géante m'a saisi, lança-t-il dans l'émetteur de son casque. Venez me libérer.

Personne ne lui répondit.

— Professeur Kearney! cria-t-il. Harambur!... Olsen!...

A nouveau le silence. Et tout à coup, Morane comprit. Un seul regard venait de lui apprendre qu'il avait omis de fermer le cran de sûreté de son antenne radio et que celle-ci, en heurtant la coque de l'épave sans doute, s'était repliée dans son alvéole. Il ne pouvait donc émettre, ni recevoir, et le monstre l'attirait toujours davantage vers le trou de la coque, à l'intérieur de laquelle il devait avoir son repaire. A l'intérieur du scaphandre, sous la combinaison de néoprène climatisée, Bob sentit une sueur froide baigner son corps. Bien sûr, en le l'apercevant plus, ses compagnons reviendraient sur leurs pas. Mais penseraient-ils à fouiller l'épave? Si non, il devrait demeurer prisonnier du serpent marin, jusqu'à ce que celui-ci se décidât à relâcher son étreinte. Mais la relâcherait-il avant qu'il ne fût mort? Il connaissait la patience de certains animaux, qui peuvent demeurer des heures, des jours même à guetter une victime...

L'anguille et sa proie se trouvaient déjà à demi engagés dans l'ouverture, quand Bob eut une soudaine inspiration. Il projeta son corps en avant, contre la tôle déchiquetée en dents de scie. Sous la douleur, le monstre, profondément blessé, desserra son étreinte. Ce répit suffit à Morane pour tirer la hache passée dans une gaine à sa ceinture, et frapper la tête de l'animal. Il dut s'y reprendre plusieurs fois, car la résistance de l'eau amortissait ses coups. Finalement, la tête à demi tranchée, l'anguille monstrueuse relâcha définitivement ses anneaux et, animée par les soubresauts de l'agonie, glissa aux pieds de Bob. Ce dernier reprit son souffle. Il se sentait un besoin irrésistible d'essuyer la sueur coulant le long de ses tempes, mais son scaphandre l'en empêchait. Il sortit son antenne radio, prenant la précaution, cette fois, de verrouiller le cran de sûreté, et cria :

— Revenez en arrière, venez voir le gibier que j'ai abattu...

Quelques instants plus tard, Kearney, Harambur et Olsen avaient rejoint leur compagnon et contemplaient le grand corps, toujours pantelant, du gigantesque poisson-serpent.

Bob s'était tourné vers Harambur.

— Une anguille de cette taille, est-ce possible, professeur ? Celle-ci mesure bien quinze mètres de la pointe du museau à l'extrémité de la queue...

Le biologiste hocha la tête affirmativement à l'intérieur de son casque transparent.

— Rien n'est davantage possible, Bob, dit-il. Le célèbre océanographe danois, Johannes Schmidt, qui a étudié les migrations des anguilles, a pris, dans cette même mer des Sargasses, des larves de ces poissons d'une telle taille qu'adultes ceux-ci devaient atteindre dix ou vingt mètres. Comme des anguilles aussi monstrueuses n'avaient encore jamais été rencontrées, Schmidt supposa avec raison qu'il s'agissait là d'une espèce abyssale.

Harambur pointa un doigt vers le corps maintenant inerte du monstre.

— Schmidt ne se trompait pas, fit-il encore. Voilà une de ces anguilles géantes. Nous lui donnerons le nom d'*Anguilla Schmidt*, ce qui ne sera que justice...

Bob se mit à rire nerveusement.

— *Anguilla Schmidt* ou non, dit-il, cette jolie petite bête m'a occasionné une fameuse peur... Si sa chair est comestible, j'espère que, tout à l'heure, nous pourrons nous octroyer une fameuse matelote. Ce sera là, avouez-le, une vengeance bien douce...

La ville engloutie n'était pas aussi vaste que Morane et ses compagnons l'avaient tout d'abord supposé. A peine si elle s'étendait sur un diamètre d'un kilomètre. Jadis cependant, des quartiers construits en matériaux périssables, comme le torchis ou l'adobe, et aujourd'hui complètement disparus, s'étaient sans doute étendus sur sa périphérie. Les bâtiments restant se trouvaient groupés autour d'une large place à laquelle aboutissaient une demi-douzaine d'avenues bordées de pyramides et de palais en ruine. Au centre de la place, une gigantesque statue monolithique se dressait. Haute de sept à huit mètres, elle représentait ce même être aux yeux globuleux et à la gueule de requin figuré par la statuette d'obsidienne du *Prometheus*.

— Jadis, avait expliqué Olsen, cette cité dut se trouver au bord de la mer. Il ne faut donc pas trop nous étonner si ses habitants, qui tiraient sans doute leurs principales ressources de la pêche, aient adoré un dieu-poisson, dont ils auraient fait leur divinité protectrice.

Après avoir traversé la place, les quatre explorateurs, toujours éclairés par les projecteurs du *Trilobite*, qui continuait à planer à une vingtaine de mètres de hauteur, s'engagèrent dans une avenue prenant approximativement la direction du nord-est. Toujours le même décor d'épaves, de pyramides et de palais à demi détruits.

Depuis qu'il avait quitté la place en compagnie des trois savants, Morane se sentait saisi par l'étrange sensation d'être épié. Mais peut-être était-ce une sorte de mal des profondeurs, dû à la conscience de ces tonnes d'eau pesant sur ses épaules, et aussi à sa présence au sein de cette cité morte, véritable fantôme de pierre sorti des âges lointains. Malgré cela, Bob ne put s'empêcher de faire part de ses sensations à Kearney, qui marchait à ses côtés.

Le savant demeura un long moment sans répondre, jetant des regards inquiets autour de lui. Finalement, il dit :

— J'ai la même impression que vous, Bob, comme si des yeux nous épiaient... Mais peut-être cette ambiance commence-t-elle tout simplement à nous déprimer. Nous ferions mieux sans doute de regagner le tank...

A ce moment, le professeur Harambur poussa une exclamation de surprise et tendit le bras devant lui.

— Regardez là-bas, dit-il. Quelle étrange créature !...

De derrière une pyramide à demi écroulée, une forme humaine venait d'apparaître, flottant à un mètre environ au-dessus du fond. Une forme humaine, certes, mais qui cependant semblait monstrueuse. Sous la lumière crue des projecteurs du *Trilobite*, elle apparaissait dans ses moindres détails.

Le corps était celui d'un homme, mais là s'arrêtait toute comparaison avec le bipède industrieux qui, il y a très longtemps, au fond d'une caverne préhistorique, domestiqua le feu. La peau de l'être était d'une teinte verdâtre et couverte de petites écailles, semblables à celles produites par cette maladie cutanée nommée ichtyose. Les mains et les pieds immenses, aux doigts allongés comme ceux des batraciens, étaient palmés et, de chaque côté du cou, on distinguait les fentes mobiles des branchies. La tête, avec ses yeux globuleux et fixes et sa gueule largement fendue, munie de dents brillantes, ressemblait, autant qu'à celle d'un poisson, à celle d'une monstrueuse grenouille. Il ne s'agissait cependant pas là d'un animal. Dans sa main droite — si toutefois on pouvait appeler « cela » une main —, l'être tenait un objet bizarre, en forme de double tire-bouchon dont les deux spires, réunies par une épaisse poignée, se repliaient en arc de cercle vers l'avant. Sans doute s'agissait-il là d'une arme. En outre, l'être était coiffé d'une sorte de casque dégageant une forte luminosité...

Bob et ses compagnons s'étaient arrêtés, stupéfaits.

— Est-ce là un homme ou un animal? interrogea Bob à l'adresse du professeur Harambur.

Le géant hocha la tête à l'intérieur de son casque.

— Ni l'un ni l'autre sans doute, fit-il. Si j'en juge par les apparences, nous devons nous trouver en présence d'un mutant, d'un homme qui, par une série de mutations biologiques, se serait adapté à la vie aquatique...

— Cela me paraît tellement incroyable, fit Olsen.

— Peut-on jamais savoir, reprit Harambur.

94

S'il faut en croire les vieilles légendes, des hommes auraient ainsi réussi jadis à vivre en permanence sous l'eau. Je ne parlerai pas des sirènes et des tritons, ni de cet homme marin qui, aux environs de 1433, aurait pris pied, vêtu comme un évêque, sur le rivage de la mer Baltique, mais d'un certain Nicolas, né sur la côte des Pouilles, en Italie, et qui pouvait vivre sous l'eau. S'il faut en croire un chroniqueur du XVe siècle, Jovianus Pontanus, ce Nicolas, auquel on avait donné le surnom de Nicolas-le-Poisson, possédait une peau livide et écailleuse. Un autre de ces hommes marins aurait été, toujours d'après la tradition populaire, l'architecte anglais Lightwater, auquel on doit les premiers plans de l'assèchement du Zuiderzee. Ce Lightwater aurait été également capable de se promener aussi aisément sous l'eau que sur terre... Selon certains médecins-alchimistes du XVIIIe siècle, il aurait suffi de plonger un nouveau-né alternativement dans l'eau tiède et dans l'air pour qu'il jouisse par la suite de la faculté de vivre sous l'eau. Cette opération, croyait-on, avait pour résultat d'empêcher la fermeture du trou de Botal qui, dans les premiers heures de la vie de l'enfant, se trouve percé dans la cloison interauriculaire du cœur, mettant en communication l'oreillette droite à l'oreillette gauche et permettant au sang de passer librement d'une cavité à l'autre sans traverser d'abord les poumons. Ce trou se bouche de lui-même peu après la naissance de l'enfant. S'il ne se bouchait pas, comme cela arrive parfois, le nouveau-né serait atteint d'une forme de « maladie bleue », provoquée par le mélange de sang non oxygéné au sang oxygéné. Cette maladie, tôt ou tard, peut entraîner la mort[1]. Cette dernière circonstance infirme dont la théorie des médecins-alchimistes. Malgré cela, n'oublions pas qu'il n'y a pas de fumée sans feu ; tout compte fait, c'est sur les recherches des alchimistes qu'est basée en grande partie la science moderne. Certaines de leurs intuitions se sont révélées absolument géniales. N'oublions pas non plus que nos lointains ancêtres, les amphibiens primitifs, sont sortis de l'eau et que nous avons donc jadis été poissons. Rien ne pourrait nous empêcher, a priori, d'imaginer que certains êtres sont restés dans le milieu d'où nous sommes issus... Il n'est pas impossible qu'une race d'êtres assez semblables à la nôtre, mais adaptée à la vie aquatique, se soit développée au fond des océans. Cela expliquerait beaucoup de légendes...

Le professeur Harambur se tut. Là-bas, d'autres créatures venaient d'apparaître. Elles étaient à présent au nombre d'une douzaine. Toutes étaient coiffées du casque lumineux et portaient cet étrange engin en forme de double tire-bouchon.

— Vraiment, dit encore Harambur, je ne vois

1. A l'heure actuelle, il y a une technique chirurgicale qui permet de boucher ce trou, avec toutes les chances de succès.

qu'un nom à leur donner, celui d'Ichtyanthropes, ou hommes-poissons.

Bob ne cessait de surveiller les curieuses créatures. Soudain, il poussa un cri d'alarme :

— Attention !

Cet avertissement venait trop tard cependant. Un des Ichtyanthropes avait levé l'engin en forme de double tire-bouchon. Morane sentit un grand froid engourdir ses membres, mais cela dura seulement le temps d'un éclair. Les quatre hommes échangèrent un long regard, car tous avaient perçu la même commotion.

— Des ondes réfrigérantes, dit Kearney. Sans nos scaphandres, il est fort probable que nous serions engourdis à l'heure actuelle.

— Je m'étonne même que nous en ayons ressenti les effets, fit remarquer Bob. Je croyais la kearnalumine imperméable à toutes les radiations...

— Sous une faible épaisseur, expliqua Kearney, elle est en partie perméable aux basses températures. Or, nos scaphandres sont faits de simple tôle, relativement mince. C'est pour cette raison que nous devons porter des combinaisons climatisées.

Un peu partout, de nouveaux hommes-poissons apparaissaient. Ils étaient à présent une centaine. Animés selon toute évidence d'intentions hostiles, ils cernaient les quatre hommes.

— Mieux vaudrait regagner le tank, fit le chef de l'expédition. Ces êtres me paraissent redoutables et, en outre, nous ne sommes pas en nombre suffisant pour les combattre. Dans le tank, dont les parois sont plus épaisses, nous nous trouverons en sécurité...

— N'avons-nous pas nos radiors pour nous défendre? fit Olsen.

— Mieux vaut éviter le combat, dit encore Kearney. Ces Ichtyanthropes doivent être intelligents, puisqu'ils sont capables de fabriquer des armes. Peut-être pourrons-nous nous en faire des alliés par la suite, si nous parvenons à nous faire comprendre d'eux, bien sûr... Palmer!... Hello, Palmer! Venez vous poser ici...

A ce moment, plusieurs Ichtyanthropes levèrent en même temps leurs armes. A nouveau, la sensation de froid empoigna les hommes, mais beaucoup plus violemment que la première fois. Dans un sursaut désespéré, Morane saisit son radior:

— Défendons-nous, cria-t-il. S'ils conjuguent les énergies de leurs armes, notre compte est bon...

Les trois compagnons de Morane avaient compris eux aussi. Ils portèrent la main à leurs radiors, mais ils n'eurent guère le temps de s'en servir. Une nouvelle vague glacée fondit sur eux, les engourdissant à demi. Seul, un rayon calorifique, issu du radior de Kearney alla foudroyer une dizaine d'hommes-poissons. Les autres cependant se jetaient déjà sur les quatre Terriens, bien décidés semblait-il à les capturer vivants, car ils ne faisaient plus usage de leurs pistolets réfrigérants.

Encore engourdis, incapables de se servir de leurs armes, Morane et ses compagnons se défendaient mollement. Ils allaient succomber, immobilisés par leurs ennemis, quand un rayon calorifique, venu du *Trilobite*, dispersa la meute des Ichtyanthropes.

Les survivants tentèrent de gagner le couvert des ruines, mais une surprise les y attendait. De derrière une grande pyramide, une dizaine de formes humaines — vraiment humaines celles-là —, surgirent soudain. Les nouveaux venus portaient des scaphandres rigides taillés dans un métal ayant l'apparence du cuivre. Ils étaient armés eux aussi de pistolets réfrigérants, en tous points semblables à ceux des Ichtyanthropes et dont les fluides conjugués semèrent le vide dans les rangs des fuyards. Les autres se dispersèrent à travers l'étendue marine.

Alors, les mystérieux scaphandriers s'approchèrent des quatre savants. Cette fois, il s'agissait bien d'hommes normaux. A travers la vitre de leurs casques, Bob et ses compagnons pouvaient apercevoir leurs visages au nez busqué, aux yeux sombres, de type vaguement sémitique. Celui qui paraissait le chef tendit le bras vers l'extrémité de l'avenue, c'est-à-dire en direction du nord-est. Sur ses lèvres pleines, un sourire de bienvenue était apparu.

— On dirait qu'il nous invite à le suivre, fit

Harambur. Qui sait si ce sourire ne cache pas un piège.

— Bah, dit à son tour Morane, nous sommes ici pour voir du pays après tout ! Et puis, ces gens sont des hommes comme nous. Sans doute pourrons-nous nous entendre avec eux...

Il y eut un long moment de silence entre les quatre explorateurs. Puis la voix de Kearney retentit :

— Bob a raison. Si inattendue que soit leur présence en ces lieux, nous devons nous faire des alliés de ces hommes, quels qu'ils soient...

CHAPITRE VIII

Le *Trilobite* avançait lentement le long de ce qui, il y a très longtemps, avait sans doute été une route, sorte de Voie Apienne bordée de temples en ruine. Un peu en avant du tank, les dix scaphandriers inconnus marchaient, indiquant la route aux Terriens. A l'intérieur de la chambre de commandes, Morane et ses compagnons, épuisés par leur longue et dramatique excursion sous-marine, s'étaient débarrassés de leurs armures de kearnalumine.

Malgré tous ses efforts, Bob ne parvenait pas à croire à l'extraordinaire aventure qui était la sienne et celle de ses compagnons. L'impression de se promener, tout éveillé, à travers un rêve qui, souvent, prenait tournure de cauchemar. « Comment tout cela se terminera-t-il? » se demandait-il sans cesse. Il ne lui suffisait pas d'errer au hasard sous des tonnes d'eau, mais il se trouvait en outre prisonnier dans un univers peuplé de monstre inhumains. Kearney, Harambur et Olsen, poussés par leur curiosité de savants, semblaient bien décidés maintenant à aller jusqu'au bout, même si la mort les y attendait. Tout d'abord, emporté par sa fougue, Morane avait été le premier à vouloir suivre les énigmatiques scaphandriers mais, à présent, la tête froide, il commençait à sentir la peur l'envahir. John Palmer devait éprouver des sentiments semblables. Parfois, il lançait un regard en direction de Morane. Un regard dans lequel ce dernier voyait passer un bref éclair de terreur.

Et, soudain, là-bas, une grande lueur s'alluma.

— Éteignez les projecteurs ! commanda Kearney.

Palmer obéit, mais la lueur demeura. Une lueur imprécise, rappelant celle perçue dans la nuit par un automobiliste à l'approche d'une ville.

Le *Trilobite* avait stoppé. Les scaphandriers, au-dehors, indiquaient la direction de l'énigmatique lueur, invitant selon toute évidence les Terriens à continuer à avancer dans cette direction.

— Mieux vaut être prudents, dit Kearney. Qui sait ce qui nous attend là-bas ? Allons nous rendre compte, mais en prenant cependant toutes nos précautions. Laissez-moi votre place, John…

Palmer abandonna le poste de pilotage au chef de l'expédition. Celui-ci s'assit aux commandes et le tank s'éleva puis, poussé par ses réacteurs, fila en direction de la lueur. Bientôt, il la surplomba. Elle provenait d'un gigantesque dôme de matière transparente, à travers laquelle on apercevait toute une cité, avec ses temples et ses pyramides, en tous points semblables à ceux des ruines déjà traversées, et de hauts bâtiments collectifs à l'architecture audacieuse. Dans les rues et sur les galeries extérieures qui, disposées en spirales, permettaient d'accéder aux étages supérieurs des immeubles, on distinguait de rares formes humaines. Le tout baignait dans une lumière blanche, qui semblait sourdre des murs de la cité elle-même.

— Une ville sous globe! s'exclama Morane. Une ville sous globe!...

Dans les regards des cinq explorateurs, un émerveillement sans bornes se lisait. Un émerveillement qui, tout naturellement, se teintait d'un peu d'incrédulité.

— Est-ce possible?... Est-ce possible?... murmurait Olsen avec entêtement.

Le professeur Harambur, lui, ne disait rien. Il se contentait de caresser sa barbe jaune d'un geste machinal. Il semblait hypnotisé.

— Mes amis, déclara finalement Kearney, non seulement nous avons atteint l'une des îles Atlantide, mais encore nous venons de retrouver vivant le peuple atlante. Sans doute est-ce là, pour la science, la plus grande découverte de toutes les temps...

— Oui, répéta Harambur, la plus grande découverte de tous les temps...

Déjà, ses compagnons l'entouraient. C'était à qui serrerait ses énormes mains.

— Et cette découverte, dit Olsen, c'est à vous que nous la devons, Steve... Et dire que, parfois, nous avons douté de vous...

— Je vous ai même prodigué mes sarcasmes, fit Bob à son tour. J'aurais mieux fait d'avaler ma langue...

Le biologiste semblait ému. Entre son gros doigt, il tortillait avec embarras les mèches de sa barbe. Au fond de ses prunelles, une lueur d'orgueil brillait cependant.

— C'est surtout à Bill que nous devons cette découverte, dit-il finalement en désignant Kearney. Sans sa miraculeuse kearnalumine, nous n'aurions jamais pu entreprendre une telle expédition. N'oublions pas non plus que, sans le secours de notre ami Bob, nous n'aurions sans doute pas réussi à quitter l'île avant que nos ennemis ne se soient emparés du tank...

Morane haussa les épaules avec indifférence.

— Le tout n'est pas de savoir grâce à qui nous avons pu parvenir jusqu'ici, fit-il remarquer d'une voix forte, mais de décider ce que nous allons faire. Que diable, nous ne pouvons continuer à tourner ainsi en rond, jusqu'au jugement dernier, au-dessus de cette ville sous globe...

— Bob a raison, intervint Kearney. Il nous faut prendre une décision. Ceux qui veulent pénétrer dans cette cité n'ont qu'à lever la main...

Quatre bras se levèrent. Kearney sourit.

— Majorité écrasante, dit-il. Il est donc inutile que je donne mon avis. D'ailleurs, je ne vous le cacherai pas, j'ai moi aussi envie de connaître la fin de cette histoire...

Il manœuvra les commandes et, docilement, le *Trilobite* alla se poser près des dix scaphandriers qui, pendant tout ce temps, n'avaient cessé de suivre ses évolutions du regard. L'avance reprit en direction de la cité et, bientôt, une sorte de long tunnel s'amorça, aboutissant à une large porte faite dans le même métal rougeâtre que les scaphandres. L'entrée d'un sas gigantesque permettait d'accéder à la ville sous globe. Elle s'ouvrit et le *Trilobite*, toujours précédé par les scaphandriers, pénétra lentement dans le bief...

*
**

Morane et ses compagnons, entourés par les dix Atlantes — si c'était bien d'Atlantes qu'il s'agissait —, marchaient à présent à travers la mystérieuse cité.

A la sortie du sas, les Atlantes s'étaient dépouillés de leurs scaphandres pour apparaître vêtus de combinaisons en tissu plastique. Des hommes de taille moyenne, aux épaules larges, aux attaches fines, de type nettement sémitique. Selon Morane et Olsen qui, tous deux, avaient séjourné en Amérique centrale, ils offraient également une certaine ressemblance avec les Mayas.

Le *Trilobite* avait été laissé à l'entrée de la ville, sous la surveillance de quelques gardes armés de piques et de pistolets à rayons réfrigérants.

Tout de suite, les cinq Terriens s'étaient rendu compte que la cité, aménagée provisoirement pour recevoir une population importante, était à présent quasi déserte. De temps à autre, on croisait quelques individus, vêtus uniformément de combinaisons plastiques, et c'était à peine s'ils se retournaient sur le passage de Bob et de ses compagnons. Dans leurs regards se lisait une sorte de lassitude, de résignation douloureuse, comme si les millions de tonnes d'eau, au-dessus de la vaste coupole transparente, pesaient douloureusement sur leurs épaules. On devinait qu'il s'agissait là d'une race en train de mourir.

La petite troupe des explorateurs et des Atlantes avançait à travers une large avenue bordée de pyramides et de palais anciens, dominés par les hauts bâtiments collectifs. L'air qu'on respirait, fabriqué sans doute artificiellement, était d'une étrange pureté. Quant à la lumière, fort semblable à celle du jour, elle provenait des bâtiments eux-mêmes, qui devaient être recouverts d'un enduit spécial, dégageant une forte luminosité, rappelant assez celle du néon.

Mais ce qui frappa surtout les Terriens, ce fut l'extrême abondance de statues, représentant des dieux mi-hommes, mi-poissons, en tous points identiques à celles rencontrées déjà dans la vieille ville en ruine, ou à la petite statuette de lave noire remontée quelques années auparavant par le chalut du *Prometheus*. Elles auraient pu également être des effigies grossières de ces Ichtyanthropes avec lesquels Bob et ses amis venaient d'avoir maille à partir. A quel culte sauvage et cruel ces idoles se rattachaient-elles ? Comme la vie était jadis venue de la mer, pour les Atlantes la terreur semblait en être issue elle aussi...

Depuis leur entrée sous la vaste cloche transparente formant dôme au-dessus de la ville, les cinq explorateurs et leurs guides n'avaient échangé aucune parole, comme s'ils réalisaient l'inutilité de tenter de se comprendre autrement que par gestes.

On était parvenu devant un vaste palais aux dômes de métal rougeâtre, auquel on accédait par un escalier monumental bordé d'une double rangée de statues de déités aux faces démoniaques, parmi lesquelles les effigies d'hommes-poissons dominaient.

L'un des Atlantes se tourna vers les Terriens, désigna l'escalier, les invita à s'y engager. Morane et ses compagnons obéirent sans hésiter, car leurs guides n'avaient jusqu'ici montré nulle hostilité. Au contraire, tout dans leur attitude prouvait des intentions amicales, sans que rien ne puisse faire prévoir une traîtrise de leur part.

Parvenus en haut de l'escalier monumental, les hommes franchirent un large portail flanqué de dragons et s'engagèrent dans un couloir aux murs incrustés du même métal dont étaient faits les scaphandres des Atlantes et, sans doute, les dômes du palais lui-même. Bientôt, une porte barra le passage. L'un des Atlantes la poussa et les Terriens pénétrèrent dans une grande salle aux murs de lave et éclairée violemment par l'enduit lumineux recouvrant le plafond. Dans le fond, sur une haute estrade entourée par une dizaine d'hommes, des notables sans doute, un vieillard se tenait assis. Il était vêtu d'une combinaison de tissu plastique, comme tous les autres Atlantes, mais son attitude, et aussi le respect qui lui était témoigné, indiquaient une haute autorité. Avec ses traits bien dessinés, ses longs cheveux et sa barbe bouclée et coupée carrée, il faisait songer à ces images de rois assyriens découvertes sur les bas-reliefs de Ninive.

A l'approche de Morane et de ses compagnons, les notables s'étaient écartés. Le vieillard se leva et parla longuement, dans une langue inconnue. Quand il eut terminé, il y eut un long silence, puis le professeur Olsen se tourna vers ses amis :

— Cette langue possède beaucoup d'analogies avec l'arabe et l'ancien hébreu que, par bonheur, je connais. Comme archéologue, j'ai pas mal étudié les langues antiques...

— Avez-vous compris quelque chose à ce que disait cet homme ? interrogea Kearney.

— Je le crois. Le sens de beaucoup de mots m'a échappé, mais dans l'ensemble j'ai pu déduire que cet homme s'appelle Chilac, et qu'il nous souhaite la bienvenue dans l'empire sous-marin de Dagon...

— Dagon! s'exclama Morane. N'est-ce pas là le nom du dieu suprême des anciens Philistins?...

— Je vois avec plaisir que notre ami Bob possède de solides notions de mythologie, dit Olsen. Dagon n'était pas seulement adoré par les Philistins, mais aussi par les Phéniciens... Un dieu-poisson...

— Un dieu-poisson! fit Bob. Cela explique beaucoup de choses...

— Oui, fit encore l'archéologue. Jadis, les Atlantes ont sans doute étendu leur influence jusqu'en Asie et certaines tribus ont dû, de gré ou de force, adopter certains de leurs dieux, qu'elles auront continué à honorer par la suite...

— A présent, remarqua le professeur Harambur, nous pouvons donner une identité à cette déité à tête de poisson représentée par ma statuette, et aussi aux statues dont cette miraculeuse cité est remplie...

— Selon toute évidence, il s'agit là de Dagon, dit à son tour Kearney. Mais, Jerry, pouvez-vous à votre tour vous faire comprendre de notre hôte?

Jéroboam Olsen eut un mouvement vague des épaules.

— Je vais essayer, dit-il. Mes paroles ressembleront à du fort mauvais petit nègre, mais en les accompagnant de quelques gestes peut-être parviendrai-je à me faire entendre...

Se tournant vers Chilac, l'archéologue se mit à parler avec de longues hésitations, cherchant ses mots, trébuchant sur d'ingrates consonnes et ponctuant son discours maladroit de grands gestes. Finalement, il se tut. Alors, le vieillard prit à son tour la parole, et Olsen lui répondit de la même façon. Quand il eut terminé, il se tourna vers ses quatre compagnons...

— Il semble m'avoir compris, dit-il. Je lui ai dit que nous venions des terres émergées, mais il m'a répondu que, depuis très longtemps, toutes les terres avaient été englouties sous l'océan. Je lui ai répondu qu'il se trompait, que de grands continents se dressaient au-dessus de la surface des flots et que de puissantes civilisations y florissaient. J'ai dit aussi que nous étions les membres d'une expédition scientifique ayant pour but d'étudier le sous-sol sous-marin et de ramener si possible des vestiges archéologiques...

— Demandez-lui qui ils sont ? fit Kearney.

Olsen se lança à nouveau dans cette bizarre conversation, où les gestes tenaient au moins une place aussi importante que les mots. Finalement, il se tourna vers ses amis.

— Chilac affirme que l'histoire de son peuple est fort longue...

— Dites-lui que nous voudrions l'entendre, fit Kearney. Tout ce qui concerne son peuple nous intéresse...

Olsen transmit au vieillard le souhait du chef de l'expédition. Longuement Chilac parut réfléchir, puis son visage aux traits fiers se détendit.

110

— Vous allez être satisfaits, dit-il, mais vous me raconterez ensuite votre propre histoire...

Il jeta un ordre et des gardes apportèrent cinq sièges à l'intention des explorateurs. Ceux-ci s'assirent. Alors, le vieux Chilac se mit à parler lentement et, au fur et à mesure, Olsen reconstituait de son mieux le récit. L'histoire de la puissante race des Atlantes qui, jadis, à une époque où les peuples de l'Europe se trouvaient encore plongés dans la plus sombre des barbaries, avait dominé le monde...

CHAPITRE IX

— Il y a très longtemps, disait Chilac, les Atlantes avaient étendu leur influence sur tout le monde connu, sur les peuples de l'extrême est jusqu'au pays des éléphants, sur les noirs barbares, mangeurs de chair humaine, habitant la région des grands fleuves, et sur les sauvages à la peau cuivrée des terres de l'ouest. A tous ces hommes, ils avaient imposé la dure loi de l'esclavage, et aussi leur langue et leurs dieux.

« A vrai dire, l'Atlantide ne formait pas un continent compact, mais était composée par plusieurs groupes d'îles disséminées à travers le Grand Océan. Il y avait l'archipel du Levant, l'archipel du Milieu du Monde et l'archipel du Couchant. Poséidon était la capitale du Levant, Chronos celle du Milieu du Monde et Aztlan — où vous vous trouvez pour le moment —, celle du Couchant. Il existait aussi de nombreuses autres cités, dont la puissance ne le cédait en rien, ou presque, aux trois précédentes. Dans toutes ces cités, aux splendeurs dignes de combler les rêves les plus audacieux, les Atlantes adoraient de nombreux dieux. De tous cependant, le Grand Dagon était le plus honoré, car il était le Seigneur de la Mer Profonde, et les savants de l'Atlantide savaient que, il y avait très longtemps, la vie était venue du fond des océans.

« L'Empire des Atlantes connaissait une civilisation poussée à l'extrême. Ses médecins avaient percé le mystère de la vie et de la mort ; ses physiciens connaissaient les secrets de la matière ; et ses architectes construisaient des temples et des palais capables de résister aux injures du temps. Les chimistes avaient découvert un nouvel alliage, l'orichalque, dont la beauté et l'extrême résistance en permettait l'emploi à la fois comme matériaux d'ornement et d'usage pratique. De puissants vaisseaux, mus par l'énergie électrique, parcouraient les mers. Des véhicules rapides couraient le long des routes et des machines volantes sillonnaient le ciel...

« Rien ne semblait devoir mettre fin à la puissance atlante, jusqu'au jour où le premier cataclysme eut lieu, engloutissant à jamais l'archipel du Milieu du Monde. Les îles du Levant et celles du Couchant se disputèrent alors la suprématie, mais en vain. Une longue guerre les opposa, à la suite de laquelle deux royaumes se formèrent, l'un ayant Poséidon comme capitale, l'autre Aztlan. Plusieurs siècles s'écoulèrent, traversés par de nombreuses guerres, puis un second cataclysme fit s'effondrer l'archipel du Levant au fond des flots...

« Cette seconde catastrophe aurait dû, logiquement, mettre fin aux querelles. Malheureusement, l'archipel du Couchant était surtout composé de deux grandes îles. Sur l'une s'élevait Aztlan et, sur la seconde, Ryleh. Entre ces deux cités, une inévitable rivalité se fit jour, jetant l'un contre l'autre des peuples jusque-là unis. En même temps, les prêtres de Dagon proclamaient que, bientôt, les terres du monde entier s'effondreraient sous l'océan, rendant tous les hommes à leur grand ancêtre, le Seigneur de la Mer Profonde. Le maître de Ryleh, personnage très savant mais cruel et orgueilleux, fit alors construire une cité emprisonnée sous un grand globe d'orichalque cristallisé et s'y enferma avec sa famille, ses notables et les plus vigoureux de ses sujets. Un troisième cataclysme survint, comme l'avaient prédit les prêtres de Dagon, et Ryleh disparut à jamais sous la mer.

« Devant cette nouvelle catastrophe, les rares Atlantes mettant en doute la véracité des prédictions ne doutèrent plus que le glas de l'espèce humaine fut sur le point de sonner. Il y eut un moment de panique à Aztlan, puis on décida de construire également une ville sous globe, semblable en tous points à celle édifiée par le maître de Ryleh. Une ville avec ses jardins, son bétail, capable de produire sa lumière et l'air respirable.

114

Les hommes et les femmes les plus vigoureux furent sélectionnés et les autres rejetés impitoyablement. Alors, dans la terreur, on attendit le cataclysme. Il ne tarda pas à venir. Le tonnerre gronda comme si le ciel tout entier allait s'écrouler. La mer en furie s'élança à l'assaut des côtes. La terre poussa des grognements de fauve en furie. Puis, lentement, l'île s'affaissa et l'océan monta le long des parois de la cloche d'orichalque transparent, jusqu'à la recouvrir tout entière. A chaque instant, les rescapés s'attendaient à voir leur refuge envahi par les eaux, mais il n'en fut rien. Le sol, sous la nouvelle Aztlan s'affaissait d'une pièce, sans heurts...

« Combien de temps dura cette descente ? Plusieurs jours s'il faut en croire certaines traditions ; plusieurs années s'il faut en croire d'autres. Quand tout se stabilisa, on fit une redoutable constatation. Aztlan reposait par plusieurs milliers de mètres de fond, alors que tout avait été conçu en prévision d'une descente de quelques dizaines de brasses à peine, d'où la transparence du globe. On s'attendait à recevoir une lumière verdâtre ; au lieu de cela, c'était la nuit totale, hostile, des abysses... Pourtant, la vaste demi-sphère d'orichalque se révélait capable de résister à l'énorme pression qui lui était imposée. Alors, la vie s'organisa...

« Les prédictions, vous le savez, avaient prévu l'engloutissement de toutes les terres émergées. Il était donc inutile de tenter de regagner la surface, et on se demanda alors ce qui était advenu de Ryleh qui, plusieurs siècles auparavant, avait été engloutie dans les mêmes conditions qu'Aztlan. Des recherches furent entreprises et la cité voisine découverte, reposant, toujours intacte, sous son globe de métal transparent. Pourtant, elle n'était plus habitée par des humains, mais par des prêtres amphibies, mi-hommes, mi-poissons, capables de vivre à la fois dans l'air et sous l'eau. Nous sûmes alors que les dieux de la mer, les Dagons, après avoir exterminé les hommes, s'étaient emparés de Ryleh et s'y étaient installés. Depuis, les habitants d'Aztlan vivent dans la terreur d'être à leur tour exterminés, et nous ne parvenons à échapper à la colère du Grand Dagon qu'en lui offrant de nombreux sacrifices... »

Le vieillard se tut pendant un long moment. Une expression d'intense amertume avait envahi ses traits. Finalement, il reprit la parole :

— De nombreux siècles se sont écoulés. Affaiblie sans cesse, notre race est aujourd'hui sur le point de s'éteindre. Lors du cataclysme, nos ancêtres furent des milliers à survivre. Aujourd'hui, nous sommes encore à peine quelques centaines. Dans peu d'années sans doute, tous les Atlantes seront morts, et le Grand Dagon régnera seul sur les immensités océanes...

Cette fois, Chilac se tut définitivement. Alors, Olsen prit à son tour la parole. Il dit que toutes les terres n'avaient pas disparu lors de la série de

116

cataclysmes qui, jadis, avait provoqué l'engloutissement des îles Atlantide. De vastes continents
avaient continué à émerger et des civilisations
florissantes s'y étaient développées...

— Quand notre mission sera terminée, acheva
l'archéologue, nous envisagerons le moyen de
sauver les derniers Atlantes, de les ramener à
l'air libre...

Mais le vieillard secoua la tête.

— Il n'y a plus rien à tenter, dit-il. Depuis des
siècles, les habitants d'Aztlan, la cité sous globe,
respirent un air fabriqué par nos machines, pur
de tout microbe nuisible. Nos organismes ont
perdu en grande partie leur pouvoir d'auto-
immunisation et, là-haut, la maladie nous fau-
cherait... D'ailleurs, le Grand Dagon nous empêcherait de regagner la surface. Nous sommes ses
esclaves, et il nous retiendra prisonniers jusqu'à
ce que le dernier d'entre nous ait rendu l'âme.
Dagon est un dieu dévoreur. Il est à l'origine de
toute vie, mais il est aussi maître de la mort...
Vous-mêmes, qui avez eu l'audace de descendre
ici, plus jamais vous ne reverrez la lumière du
soleil. Dagon est le Seigneur des Abysses. Il vous
retiendra tous captifs dans son royaume de nuit
éternelle et de terreur, pour finir par vous dévo-
rer...

Comme il n'avait cessé de le faire durant toute
cette longue entrevue, Olsen traduisit les paroles
du vieillard à l'intention de ses amis.

— Dites à notre hôte que nous nous moquons

pas mal du Seigneur des Abysses, fit Morane avec bonne humeur. Ce Grand Dagon m'a tout l'air d'un fameux épouvantail...

Mais Kearney secoua la tête.

— Non, dit-il, il est inutile de heurter de front les croyances de ces pauvres gens. Selon toute évidence, ils vivent dans une terreur perpétuelle de leur dieu-poisson, et l'on ne combat pas la terreur avec des mots. Faisons ce que nous avons à faire ici. Recueillons des vestiges archéologiques et prélevons des échantillons du sous-sol. Quand nous aurons terminé notre travail, nous repartirons comme nous sommes venus. Les Atlantes verront alors que, comme Bob le dit si bien, leur Grand Dagon est seulement un mauvais épouvantail. Nous verrons alors ce que nous pourrons faire de mieux...

Quand les cinq explorateurs se retrouvèrent à bord du *Trilobite*, un profond désarroi les étreignait. Bien que le vieux Chilac leur eût offert de demeurer dans son palais, ils avaient préféré se calfeutrer dans le tank, tellement cette cité fantôme, où glissaient seulement des spectres, les mettait mal à l'aise. En eux, toute curiosité semblait momentanément morte. Ils se sentaient dépassés par les événements, se demandaient si, d'un moment à l'autre, ils n'allaient pas se réveiller et s'arracher à un mauvais rêve. Morane le fit remarquer à ses compagnons. Mais Harambur hocha la tête. Pour la première fois peut-être, le colosse avait une attitude effacée, humble presque.

— Nous ne rêvons pas, Bob, et vous le savez bien. Tout ceci est un cauchemar, que nous vivons les yeux grands ouverts. Une cité engloutie depuis des millénaires, un peuple de spectres, bien près de sombrer dans le néant et dominé par une terreur sacrée rendant tout espoir, toute lutte impossible...

— Oui, fit à son tour Palmer. Ce Dagon ne me dit rien qui vaille. Je serais bien près de croire qu'il se prépare réellement à nous jouer un tour à sa façon...

Morane se mit à rire. Un rire un peu forcé, qui sonnait faux comme celui d'un mauvais acteur.

— Un tour de... Dagon, bien sûr, ironisa-t-il.

Ce jeu de mots à bon marché ne fit rire personne.

— Pourquoi plaisanter, Bob ? demanda Kearney. J'ai l'impression d'être entré à l'intérieur d'un piège qui va se refermer sur nous, à jamais...

Une fois encore, Morane eut un geste d'insouciance. Pourtant, au fond de lui-même, il ne se sentait pas rassuré.

— Inutile de nous laisser abattre par l'atmosphère de cette ville fantôme, fit-il. Après tout, nous sommes en train de vivre une expérience exceptionnelle. Elle doit nous faire oublier toute autre chose, même si nous nous trouvons en danger… Vous êtes venus ici pour découvrir les vestiges de l'Atlantide, et vous avez retrouvé celle-ci. Que pouvez-vous désirer de plus ?

Longuement, Kearney scruta le visage de Morane comme pour chercher à deviner ses pensées réelles.

— Ce que nous pouvons désirer de plus, Bob ? C'est nous en retourner vivants… Au cours de ces dernières heures, je me suis rendu compte une fois de plus de l'audace de l'homme. Cette audace qui le perdra. Non content d'avoir entièrement exploré le monde qu'il habite et percé le secret de l'atome, il veut à présent parcourir le fond des océans. Demain, il partira à la découverte des planètes et des astres, et ce sera peut-être sa perte…

— Bah ! fit encore Morane. Il est inutile de voir les choses en noir. Nous sommes venus jusqu'ici, et nous parviendrons bien à repartir de la même façon…

— Le Ciel vous entende ! dit Kearney d'une voix sourde.

Mais le Ciel semblait bien loin des hommes, séparés qu'ils en étaient par ces masses liquides, et ils avaient l'impression qu'aucune de leurs prières n'aurait pu être entendue.

Cette nuit-là — du moins durant ces heures correspondant à la nuit d'en haut —, Morane, malgré sa belle insouciance, rêva qu'il se trouvait aux prises avec une troupe d'Ichtyanthropes et que ceux-ci, après l'avoir capturé et ligoté au

120

socle d'une statue de Dagon, dévissaient lentement le casque de son scaphandre, à l'intérieur
duquel l'eau giclait en jets qui, comme autant
d'épées, fouillaient sa chair. Tout cela dans une
persistante impression d'asphyxie.

CHAPITRE X

Au moment où Morane et ses compagnons reposaient par plus de quatre mille mètres de fond, à l'intérieur de cette gigantesque bulle d'air qu'était Aztlan, un vaisseau faisait route à travers la mer des Sargasses, où les paquets d'algues, sous la lumière crue de la lune, faisaient songer à quelque monstrueuse cressonnière abandonnée. C'était un vieux cargo à la coque noire, rongée par endroits par la lèpre rousse de la rouille. Un observateur entraîné n'aurait eu aucune peine à reconnaître en lui le *Hankau* qui, peu de temps auparavant, se trouvait encore à l'ancre au large des îles Caicos.

Ses machines stoppées, le *Hankau* s'immobilisa. Il avait atteint le centre d'une zone de grand calme et nul courant, nul vent ne ridait la surface de la mer. Sur la passerelle, le capitaine Urga, ce géant au faciès asiatique, et le colonel Kapek se tenaient debout, inspectant la surface paisible des eaux.

Au bout d'un moment, Kapek prit la parole :

— Ainsi, nous voilà parvenus à l'endroit où je vais devoir faire le grand plongeon...

Le capitaine hocha la tête doucement.

— Oui. Nous avons essuyé un premier échec là-bas, aux îles Caicos. Cette fois, il nous faut remporter un succès complet. C'est ici que, d'après les rapports de nos agents d'Angleterre, le chalut du *Prometheus* aurait remonté la statuette de lave noire. En vérité, l'origine de ladite statuette nous importe assez peu, mais bien le fait qu'elle ait été longtemps dans le voisinage immédiat d'importantes masses de matières radio-actives. Le fond de la mer n'est à personne, et notre gouvernement voudrait être le premier à y exploiter d'éventuels gisements...

— Je sais tout cela, fit Kapek. Quand nous nous serons emparés du *Trilobite*, nous ne tarderons pas, après avoir percé le secret de la kearnalumine, à posséder les moyens d'exploitation nécessaires.

Une expression de contrariété se peignit sur le visage du capitaine.

— Le *Trilobite*, dit-il. Nous l'avons manqué une fois déjà. Espérons que, la seconde fois, nous réussirons...

— N'en doutez pas, fit Kapek. Quand Kearney et ses compagnons reviendront sur l'île, leur voyage sous-marin achevé, les hommes laissés là-bas n'auront qu'à les cueillir, et le tank avec eux...

— Et s'ils ne regagnaient pas l'île? demanda Urga qui, jusqu'alors, ne s'était pas mêlé à la conversation.

— Ils y reviendront, soyez sans crainte. Le *Trilobite*, ne l'oubliez pas, est un engin secret. Kearney ne peut courir le risque d'attirer l'attention sur lui. Voilà pourquoi il rejoindra sa base des îles Caicos...

— Souhaitons que vous ne vous trompiez pas, fit le capitaine. Je serais d'ailleurs plus tranquille si nous pouvions nous-mêmes être là-bas lors du retour de ce maudit tank... Vous devez donc accomplir au plus vite votre plongée, ausculter les fonds au compteur Geiger et en ramener des échantillons géologiques. Je propose d'aller, dès maintenant, jeter un coup d'œil à votre petit joujou sous-marin...

Sans échanger d'autres paroles, les trois hommes quittèrent la passerelle et, gagnant une écoutille, s'enfoncèrent dans les entrailles du cargo.

Les cales du *Hankau* avaient été aménagées de façon à réserver de grands espaces disponibles. Dans la cale arrière, un étrange engin, soigneusement arrimé, était entreposé. Cela ressemblait à un petit sous-marin à carcasse de tôle légère, sous lequel était disposée une sphère de métal, aux parois épaisses et munie d'un hublot de quartz. Un bathyscaphe.

Le capitaine posa la main à plat sur la sphère.

— Ce sera là votre demeure pendant près d'une journée, colonel Kapek. Vous courrez de grands risques, nous le savons. Mais n'oubliez pas qu'on vous a choisi pour vos connaissances spéciales et aussi pour votre courage. Cette fois, vous devez réussir...

— Oui, vous devez réussir, fit Urga avec force.

Dans le ton de l'Asiate, il y avait un accent de menace non dissimulé. Kapek ne répondit rien. Sous leur aspect de paisibles marins, le capitaine du *Hankau* et Urga étaient en réalité de hauts personnages du parti au pouvoir. Kapek savait aussi que, dans son pays, du héros au traître, il n'y avait souvent que l'épaisseur d'un échec.

CHAPITRE XI

Au lendemain de leur arrivée à Aztlan, Morane et ses compagnons, après une rapide visite de la cité, avaient entrepris aussitôt de réaliser les buts de l'expédition. Dès les premières recherches, le sous-sol marin s'était révélé extrêmement riche en minerai de pechblende à haute teneur d'uranium. Sans doute, suivant l'estimation de Kearney, se trouvait-on en présence de gisements dont la richesse éclipsait celle des mines du Zaïre et du Canada. Ce succès initial, obtenu dès la première journée de travail grâce aux puissances foreuses du *Trilobite*, avait un peu dissipé les sombres pressentiments qui assaillaient les membres de l'expédition depuis leur découverte de la ville sous globe.

Il fut donc décidé que le jour suivant serait consacré à la recherche de spécimens archéologiques et à des prises de vues. Le professeur Harambur, favorisé par sa force de géant, porterait la caméra pressurisée et le puissant flash électronique. Pour parer à toute éventualité d'attaque de la part des hommes-poissons, John Palmer suivrait avec le tank.

Les membres de l'expédition se séparèrent en deux groupes, accompagnés chacun par une demi-douzaine de scaphandriers atlantes. Le premier groupe était formé par Morane et Harambur, et le second par Kearney et Olsen. Ils devaient suivre une route parallèle à travers les ruines de l'ancienne capitale, à une centaine de mètres l'un de l'autre, sous la protection du *Trilobite* naviguant au-dessus d'eux.

Au cours de leurs différents entretiens avec Chilac — entretiens laborieux en raison des difficultés à se comprendre mutuellement —, Morane et ses amis avaient appris à se méfier des Ichtyanthropes. Ceux-ci étaient les valets des Dagons, sans être dieux eux-mêmes puisque les derniers Atlantes n'hésitaient pas à se défendre contre leurs attaques. En effet, quand un homme était capturé par les Ichtyanthropes, jamais il ne reparaissait, et Chilac et ses sujets affirmaient que les captifs étaient conduits à Ryleh pour y être offerts en pâture au Grand Dagon.

Les Terriens ne partageaient bien sûr pas les superstitions des Atlantes à l'égard du Seigneur des Abysses. Pourtant, persuadés que toute légende se trouve basée sur un fond de vérité, ils préféraient s'entourer des précautions nécessaires. Les hommes-poissons possédaient la force du nombre ; en cas d'attaque cependant, les radiors donneraient aux explorateurs et à leurs alliés un avantage certain.

Ainsi organisée, la petite troupe s'était dirigée vers les ruines de l'ancienne Aztlan et, aussitôt, les recherches avaient commencé. Tout objet de petite taille — statuette ou bijou — trouvé par l'un des explorateurs était placé dans un filet de nylon. Le professeur Harambur photographiait tout ce qui ne pouvait être emporté.

La visite méthodique de la cité engloutie avait commencé depuis près d'une heure déjà, quand Morane repéra une pyramide miraculeusement intacte et au sommet de laquelle s'érigeait encore le temple auquel elle servait de base.

Bob désigna la pyramide à Harambur qui, aidé par les scaphandriers atlantes, redressait une stèle couverte de sculpture afin de pouvoir en photographier plus aisément les quatre faces.

— Pendant que vous terminez ce travail, professeur, je vais voir s'il n'y a pas quelque chose à glaner là-haut, fit Morane.

— Allez-y, Bob. Mais, surtout, soyez prudent. A la moindre alerte, avertissez-moi. Et, surtout, n'hésitez pas à faire usage de votre radior...

Sans répondre, Morane mit en marche son réacteur personnel et fila vers le sommet de la pyramide, où il prit pied sans encombre. Le temple paraissait bien conservé, et les cariatides à visages de poissons qui en soutenaient le portail étaient demeurées intactes.

Après s'être assuré qu'aucun Ichtyanthrope ne se manifestait dans les parages, Morane pénétra à l'intérieur du temple. Il y avait longtemps que le toit en était effondré — sans doute depuis l'époque du cataclysme —, mais les murs, faits d'énormes blocs soigneusement ajustés, avaient résisté au temps. L'une des faces du grand quadrilatère était recouverte de moulages d'orichalque représentant, en haut-relief, des scènes religieuses.

Pour étudier sa découverte, Bob promenait sa lampe le long de la muraille quand, soudain, il eut l'impression qu'un danger le menaçait. Il voulut se retourner, mais une masse grouillante d'ennemis fondit sur lui, paralysant ses mouvements, l'empêchant de saisir son radior. En même temps, un claquement sec retentit à son oreille, comme celui produit par un objet métallique qui se brise.

— Professeur Harambur! A moi... Les Ichtyan...

Bob n'acheva pas. Au timbre de sa voix, il venait de réaliser que le son ne dépassait guère l'étroite prison du scaphandre. Il saisit alors le sens du claquement qu'il venait d'entendre. Pour l'empêcher d'appeler à l'aide, ses assaillants avaient commencé par briser l'antenne d'acier de son émetteur-récepteur. Il se trouvait donc totalement isolé de ses amis.

Avec l'énergie du désespoir, Morane s'efforçait de se libérer de l'étreinte des Ichtyanthropes.

Pourtant, si ceux-ci étaient intelligents — ils venaient de le prouver en brisant l'antenne —, ils se révélaient également forts et adroits. En outre, ils possédaient une grande agilité et Bob, dans son armure de métal, ses mouvements freinés par la résistance de l'eau, faisait figure de pachyderme se débattant contre les assauts d'un essaim de guêpes.

Déjà, les bras de Bob étaient immobilisés. Plusieurs hommes-poissons le saisirent par les jambes et le firent tomber en arrière sur le sol, où il continua à se débattre. Morane voyait les faces inhumaines, écailleuses, aux bouches et aux yeux de crapauds, de ses ennemis penchées sur lui. Parfois, un bref et lointain éclair bleuté lui apprenait qu'Harambur était en train de se servir du flash. Et Bob ne pouvait même pas l'alerter, l'appeler au secours...

A l'intérieur du scaphandre, la sueur trempait Morane et, petit à petit, sa résistance faiblissait. Bientôt, elle cessa tout à fait. Immobilisé par les puissantes mains-nageoires des Ichtyanthropes, Bob ne se sentait plus capable de faire un seul mouvement. Épuisé par la lutte qu'il venait de soutenir, vaincu autant par la résistance de l'eau que par ses ennemis, il se trouvait à présent à la complète merci de ses adversaires. La colère aggravait encore le sentiment d'impuissance qui l'habitait.

Doucement, il se sentit soulevé de terre, élevé jusqu'au faîte des murs. Et, tout à coup, il compris. Les hommes-poissons l'emportaient. Où ? Il ne se le demandait pas encore. « Pourvu qu'Harambur ou Palmer m'aperçoivent, murmurait-il. Pourvu qu'ils m'aperçoivent !... » Mais le groupe des Ichtyanthropes ravisseurs ne formait déjà plus qu'un point infime dans l'immense nuit sous-marine et, bientôt, Bob comprit que tout espoir était désormais perdu. Les lumières du tank et des scaphandres, les éclatements du flash électronique de Harambur ne lui parvenaient plus. Les hommes-poissons, ces démons des profondeurs, l'emportaient vers leur ténébreuse retraite, vers quelque innommable destin...

*
**

Bob Morane n'aurait pu dire depuis combien de temps il se trouvait au pouvoir des Ichtyanthropes. Dans cette obscurité totale au sein de laquelle il planait, soutenu par ses ravisseurs, le temps n'existait plus et le faisceau de sa lampe, demeurée allumée à l'intérieur de son casque, se perdait dans l'infini, comme la lumière d'un astre à travers les espaces interstellaires.

Malgré sa situation presque désespérée, Bob avait peu à peu retrouvé son sang-froid. Les hommes-poissons ne l'avaient pas tué, et c'était toujours là une constatation réconfortante. Bien sûr, protégé comme il l'était par le scaphandre, il ne craignait pas les coups de ses adversaires, mais ceux-ci auraient pu dévisser une pièce de son scaphandre et lui faire connaître une mort horrible. Les hommes-poissons ne semblaient donc pas vouloir le mettre à mort, du moins pour l'instant. Sans doute le menaient-ils à un endroit quelconque, où se trouvait leur repaire...

A présent seulement, Morane se souvenait des paroles de Chilac. Celui-ci n'avait-il pas affirmé que, quand un Atlante était capturé par les hommes-poissons, ils le conduisaient à Ryleh pour l'y offrir en pâture au Grand Dagon? Morane sentit la peur l'envahir à nouveau. Après tout, l'idée n'était pas tellement absurde. Si ce Grand Dagon existait réellement, il pouvait être lui aussi un monstre mi-homme, mi-poisson et, dans les grandes occasions, se repaître de chair humaine. Et Bob ne pouvait s'empêcher de songer que tout se passait comme un mauvais conte de fées. Telle une princesse de légendes, il était emporté par une meute de démons, vers quelque tanière secrète où l'attendait peut-être un ogre dévoreur. Mais, pour lui, il le savait, il n'y aurait aucun preux chevalier qui, passant par là à son retour des croisades, viendrait le délivrer...

Tout autour de Morane, la meute des Ichtyanthropes se faisait plus épaisse, comme pour une escorte triomphale. Sous lui, Bob crut entr'apercevoir une faible clarté, mais il ne put se rendre compte de quoi il s'agissait exactement. Les hommes-poissons lui bouchaient la vue.

De nouvelles minutes s'écoulèrent, puis l'allure des Ichtyanthropes se ralentit et Bob devina qu'on le déposait sur le sol. La grappe de ses porteurs se détacha de lui et reflua vers la gauche.

Quelques secondes plus tard, Morane se retrouvait seul dans une assez vaste salle aux parois métalliques, fermée à chacune de ses extrémités par une porte étanche. Déjà, son opinion était faite.

— Un sas, murmura-t-il. Je me trouve enfermé dans un grand sas...

Péniblement, il se redressa, promena autour de lui le faisceau de sa lampe au xénon. Aussitôt, il sursauta. Tout le fond de la salle se trouvait occupé par un amas d'objets hétéroclites, aux reflets jaunes. Il y avait là des monceaux de pièces d'or à toutes les effigies : doublons espagnols, florins hollandais, livres anglaises, louis français... A ces anciennes monnaies entassées, il fallait ajouter des bijoux de gravure ancienne, des statues, des soleils et des bols d'or provenant des trésors aztèques ou incas pillés par les Espagnols, des ciboires, des ostensoirs et des encensoirs, en or également et volés par les flibustiers lors des fameuses mises à sac des colonies espagnoles de Panama, de Cuba, de Colombie et du Venezuela, le tout enrichi de pierres précieuses...

Maintenant, Morane savait pourquoi, sur leur route au fond de la mer des Sargasses, ses compagnons et lui avaient seulement trouvé de vieilles coques vides. Les richesses qu'elles contenaient se trouvaient, du moins en partie, entreposées là, sous ses yeux. Mais qui les y avait apportées ? Sans doute les Ichtyanthropes, sur l'ordre de leurs maîtres, les Dagons. Pourquoi, dans ce cas, les avait-on abandonnées en cet endroit ?

Morane n'eut pas le loisir de réfléchir davantage à cette question. Tout autour de lui, l'eau baissait et, bientôt, le sas fut vide. Durant ces longs instants, Bob attendit que quelque chose se passât, mais en vain.

— Je dois pourtant tenter de sortir d'ici...

Quand les hommes-poissons l'avaient abandonné, ils étaient sortis par la porte de gauche et l'avaient refermée sur eux. Sans doute se trouvaient-ils encore derrière, à le guetter. Si la liberté se trouvait quelque part, ce devait être au-delà de la seconde porte. La liberté ou...

Bob ne perdit guère de temps à se poser une devinette dont il connaissait déjà la réponse. Traînant ses lourdes semelles de plomb, il se dirigea maladroitement vers la porte de droite. Avec effort, il fit jouer le volant de fermeture et tira le lourd battant à soi. Il avança de quelques pas et s'arrêta, surpris. Devant lui s'étendait une ville sous globe assez semblable à Aztlan. Pourtant, ce n'était pas Aztlan. L'ordonnance des bâtiments était différente et la lumière issue des murs beaucoup plus faible, comme si, d'un moment à l'autre, elle allait s'éteindre tout à fait. Nulle part, Bob ne décela la moindre présence humaine.

Après avoir refermé soigneusement la porte

du sas, Morane, dévissant une valve spéciale placée au sommet de son casque, testa l'air ambiant. Comme celui-ci se révélait parfaitement respirable, il entreprit de se débarrasser de son scaphandre. Quand il eut retrouvé sa liberté de mouvement, il jeta un regard autour de lui. Mais, déjà, il savait être prisonnier dans Ryleh, la cité du Grand Dagon, le Seigneur des Abysses.

S'efforçant de rendre sa marche assurée, Morane traversa la large esplanade le séparant des premiers bâtiments. Alors, mettant les mains en porte-voix autour de sa bouche, il se mit à crier à pleins poumons :

— Quelqu'un là-dedans ?

L'écho lui relança ses paroles, amplifiées, répétées à l'infini.

— Quelqu'un là-dedans ? hurla-t il à nouveau.

Toujours pas la moindre réponse, ni la moindre manifestation d'une présence humaine.

— M'a pas l'air très habité, ce patelin...

A ce moment, Bob aperçut une forme allongée, étendue à peu de distance, sur les marches d'un temple. Il s'approcha et reconnut qu'il s'agissait d'un être assez semblable aux Ichtyanthropes, mais aux traits plus humains cependant, avec une poitrine plus large, des extrémités moins déformées. L'être portait une sorte de maillot de plastique, fort court, laissant les membres à nu. Se baissant, Bob toucha l'un des bras. La peau était sèche, dure, semblable à du vieux cuir racorni. En dessous, les muscles avaient perdu toute leur souplesse, pour prendre la consistance de la pierre. Un corps momifié. Bob se redressa et fit la grimace. L'aventure prenait un tour de plus en plus sinistre. Continuant à avancer, il devait découvrir bientôt d'autres corps gisant de la même façon, momifiés eux aussi...

Cette fois, une sorte de terreur superstitieuse empoigna Morane. Il revint sur ses pas et s'approcha de l'épaisse paroi transparente qui, seule, le séparait du fond de la mer. Partout, des silhouettes d'hommes-poissons se découpaient, montant une garde vigilante autour de la cité déserte.

Bob recula jusqu'au centre de l'esplanade. Là, il demeura immobile, jetant autour de soi des regards désespérés.

— Quelqu'un là-dedans ? cria-t-il encore.

Mais il savait qu'il n'y aurait pas de réponse. A nouveau, la terreur fut en lui, pétrifiante, proche de la folie. Il se trouvait prisonnier dans Ryleh, cette cité depuis longtemps morte et peuplée seulement par des corps desséchés... Des corps d'êtres à peine humains...

CHAPITRE XII

Toujours relié au mât de charge du *Hankau* les flancs protégés par d'épaisses défenses, le bathyscaphe reposait sur les flots, sa sphère complètement immergée. Sur le pont du cargo, le capitaine, le colonel Kapek et Urga se tenaient debout contre la lisse. Kapek avait revêtu une combinaison complète en caoutchouc mousse, avec cagoule, comme en portent les hommes-grenouilles. A sa ceinture, un revolver dans son étui.

Du doigt, le capitaine désigna l'arme.

— Que comptez-vous faire de cela, colonel Kapek ? Tirer sur les habitants des grands fonds ? Enfermé dans votre sphère d'acier, vous n'aurez pas l'occasion de vous en servir...

Kapek haussa les épaules. Son visage aux yeux légèrement bridés se durcit. Du plat de la main, il frappa l'étui du revolver.

— Une simple précaution, dit-il, au cas où le bathyscaphe ne pourrait pas regagner la surface.

Je ne tiens pas à périr de mort lente. Une balle dans la tempe et tout sera dit...

Urga avança d'un pas. Sur la face plate du géant, une expression mauvaise se lisait.

— Ce pessimisme est indigne d'un loyal citoyen de notre grande nation, colonel Kapek. Le bathyscaphe est parfaitement au point, et il remontera. Il faut que vous réussissiez. La patrie a un grand besoin de minéraux radioactifs... Vous m'entendez, il faut que vous réussissiez !...

Le jeune officier ne répondit pas. Il enjamba la lisse et commença à descendre l'échelle de corde menant au bathyscaphe. Prenant pied sur le kiosque, il s'enfonça dans le puits d'accès à la sphère et, après un dernier signe de la main, rabattit et verrouilla le panneau sur lui. Dix minutes plus tard, les amarres lâchées, le bathyscaphe disparaissait sous les flots calmes de la mer des Sargasses.

La descente fut relativement rapide et la zone pénétrée par la lumière du soleil vite franchie. Ce furent alors des ténèbres totales, bientôt rompues par la danse des animaux phosphorescents, petits poissons véloces, crevettes ou colonies de siphonophores...

Quand le bathymètre indique une profondeur de deux mille cinq cents mètres, Kapek alluma les deux puissants projecteurs électriques, de quelque cinq mille bougies chacun et qui, orientés vers le bas, devaient lui permettre tout à l'heure d'apercevoir le fond.

138

La descente se poursuivit, désespérément monotone, agrémentée seulement par la danse fugace de la faune abyssale. Le sondeur ultra-sonique indiqua qu'il ne restait plus que cent mètres à franchir avant d'atteindre le fond qui, Kapek le savait, se trouvait à quelques trois mille six cents mètres de la surface.

Le bathyscaphe avait amorcé sa descente à huit heures du matin. A onze heures, le fond apparut. Le contact fut brutal et, malgré le guide-rope destiné à freiner l'impact, la sphère s'enfonça dans la vase jusqu'à la moitié du hublot. Kapek lâcha un peu de la limaille de fer lui servant de lest, et l'engin remonta légèrement, pour se stabiliser à un mètre du fond.

Sous la lumière des projecteurs, le sol paraissait uni avec, de temps en temps, de petits talus, hauts à peine de quelque centimètres. Au loin, un grand squale passa, puis disparut. Kapek mit les deux moteurs en marche et le bathyscaphe avança doucement avec, au-dessus de lui, quelque cinquante mille tonnes d'eau qui semblaient vouloir l'écraser, sans y parvenir.

Cela faisait plus d'une demi-heure à présent que Kapek avait commencé son travail de prospection. Le compteur Geiger avait révélé une forte radioactivité et les griffes-foreuses avaient récolté déjà de nombreux échantillons de roches. Tout se passait bien et s'il n'y avait eu ces grands calmars qui, de temps à autre, traversaient la zone éclairée par les projecteurs, le colonel Kapek se serait senti en sécurité. Mais il n'ignorait pas que, si l'un de ces céphalopodes géants s'avisait à attaquer le bathyscaphe, c'en serait fait de lui.

Une nouvelle demi-heure s'écoula. Kapek était fixé maintenant. Les fonds qu'il venait de prospecter étaient extrêmement riches en matériaux radioactifs, de la pechblende sans doute. Il avait rempli sa mission et il pouvait songer à amorcer sa remontée. Il sourit. « Allons, songea-t-il, cette fois je n'aurai pas échoué. Si la chance continue à nous servir, avant longtemps ce maudit *Trilobite* sera dans les cales du *Hankau*, et alors... » Pour le colonel Kapek, cet « alors » totalisait toute une somme d'honneurs et de gloire.

Déjà, il s'apprêtait à couper le courant pour libérer la grenaille de fer servant de lest au bathyscaphe quand, dans la clarté des projecteurs, d'étranges formes apparurent, au nombre d'une vingtaine. A première vue, on aurait dit des hommes. Pourtant, il n'en était rien. Ces têtes aplaties, aux larges bouches de crapauds, aux yeux fixes et proéminents, ces corps squameux, ces mains et ces pieds aux doigts étirés et palmés n'avaient presque rien d'humain. En outre, ces êtres ne se déplaçaient pas en marchant sur le fond mais en nageant, soit verticalement comme les hippocampes, soit horizontalement.

140

— Des hommes-poissons, murmura Kapek. Des hommes-poissons...

Mais il se secoua.

— Ne disons pas de bêtises. Il s'agit là tout simplement d'une espèce de poisson inconnue...

Malgré tous ses efforts, il ne parvenait pas à détacher ses regards des étranges créatures, dont l'apparence anthropomorphe le fascinait et l'horrifiait à la fois.

Au début, les hommes-poissons étaient une vingtaine à peine mais, au fur et à mesure que les secondes s'écoulaient, leur nombre croissait. Peut-être étaient-ils une centaine à présent, peut-être davantage. A leurs mouvements, Kapek comprenait qu'ils effectuaient une sorte de ronde autour du bathyscaphe, dont les formes insolites devaient les fasciner.

— Quand je rapporterai cette scène au capitaine et à Urga, soliloqua le jeune officier, ils ne me croiront pas. A moins que...

Comme il avait emporté une caméra, il la mit en batterie sur son trépied, contre le hublot de quartz, et se mit à filmer la ronde des hommes-poissons. Seul, le bruit du moteur de la caméra retentissait à l'intérieur de la sphère...

Tout à coup, Kapek sursauta. Plusieurs hommes-poissons s'étaient attelés au guide-rope et tiraient, comme s'ils voulaient remorquer le bathyscaphe. Au même moment, Kapek remarqua que trois des créatures brandissaient de bizarres engins en forme de double tire-bouchon aux spires repliées en arc de cercle vers l'avant.

— Eh ! murmura-t-il. On dirait que les affaires se corsent.

Il sentit une vague glacée fondre sur lui, mais il se secoua et tendit la main vers l'interrupteur de courant, pour libérer le lest et lancer le bathyscaphe vers la surface. Il n'acheva pas son geste. Une seconde vague glacée, plus violente que la précédente, le submergea. Son bras retomba et il sentit que, lentement, son corps s'engourdissait...

Brusquement, le colonel Kapek sombra dans l'inconscience.

CHAPITRE XIII

Au seuil de Ryleh, la cité du Grand Dagon, morte à présent, Bob Morane demeurait indécis. La raison reprenant le pas sur l'instinct, sa terreur l'avait quitté et, maintenant, il se demandait quel parti prendre. Trois solutions seulement s'offraient à lui : revêtir à nouveau son scaphandre et tenter de regagner Aztlan ; demeurer là, les bras ballants, au centre de l'esplanade ; ou encore partir en exploration à travers Ryleh. La première solution ne pouvait être envisagée. Les Ichtyanthropes attendaient au-dehors et, au cours de son enlèvement, Bob avait perdu son radior. Il se mit à rire nerveusement et dit à voix haute :

— Je ne puis quand même pas demeurer ici, à attendre d'avoir pris racine ?

Il éprouvait une insurmontable répugnance à s'avancer sans but à travers cette cité engloutie, changée en sépulcre, véritable château de la Belle au Bois Dormant, où les momies sem-

143

blaient attendre un Prince Charmant qui pro-
voquerait leur résurrection. Bob ne désirait pas
le moins du monde être ce Prince Charmant.

— Si seulement je pouvais me mettre en
communication avec le tank!...

Il retourna au scaphandre mais, dépourvu
d'antenne, son poste émetteur-récepteur se
révéla à nouveau inutilisable.

— Il me faudrait trouver de quoi confectionner une nouvelle antenne, dit-il encore.

Il se tourna vers la cité silencieuse.

— Ce serait bien le diable si je ne découvrais
pas une tige de métal quelconque dans cette
ville...

Il grimaça un sourire. Là où sa curiosité avait
échoué, la nécessité triomphait. Il lui faudrait
donc se lancer à travers Ryleh, à travers cette
gigantesque nécropole sous-marine peuplée de
démons momifiés. « Uniquement pour trouver
de quoi confectionner une nouvelle antenne,
pensa Morane. Uniquement pour trouver de
quoi confectionner une nouvelle antenne... »

Rapidement, il entreprit d'extraire le coffret
du minuscule poste à ondes courtes, fixé à l'intérieur de la cuirasse du scaphandre, et il le déposa
au fond du casque, là où se trouvaient le combiné
émetteur-récepteur et l'attache de l'antenne. A
l'aide d'une des courroies de matière plastique du
scaphandre, Bob suspendit le casque à son
épaule, à la façon d'une besace. Sans attendre
davantage, il traversa l'esplanade et s'engagea

144

dans une large avenue, bordée de pyramides, qui s'ouvrait devant lui.

Comme il l'avait pensé, la ville était déserte. A moins qu'on pût qualifier de « présences » ces momies d'êtres à têtes de poissons gisant un peu partout. On eût dit que la mort avait fondu sur eux soudain, pour les coucher à l'endroit précis où ils se trouvaient au moment où elle les avait frappés. Il y avait de ces momies partout, dans les avenues elles-mêmes, sur les marches des pyramides ou à l'intérieur des temples, dans les cellules des bâtiments collectifs. Certes, ces créatures ressemblaient aux Ichtyanthropes. Pourtant, leur présence à l'intérieur de la ville, donc en dehors du milieu aquatique, tendait à prouver qu'elles étaient amphibies et pouvaient vivre à la fois dans l'air et dans l'eau, contrairement aux hommes-poissons qui, eux, ne s'aventuraient pas dans la cité. « Sans doute sont-ce là ces Dagons dont parlait Chilac, pensait Morane. Peut-être, avant longtemps, ferai-je connaissance avec le Seigneur des Abysses lui-même... »

Continuant son exploration, il parvint devant un grand palais vers lequel convergeaient toutes les avenues. D'un pas qu'il s'efforçait de rendre ferme, il en gravit l'escalier monumental, jonché lui aussi de corps momifiés. Des gardes sans doute, s'il fallait en juger par leur accoutrement et leurs armes, courtes lances et épées.

Devant Morane, au-delà d'un large portail ouvert à deux battants, un long couloir s'offrit, baigné d'une clarté verdâtre, affaiblie. L'enduit lumineux recouvrant le plafond devait commencer à perdre ses propriétés. A travers toute la cité endormie, il en allait de même et, seule, cette luminosité glauque régnait, donnant à toutes choses un sinistre relief.

Les murs du couloir étaient faits de verre, ou d'une matière semblable au verre. Dans l'épaisseur de ces murs, à l'intérieur de niches parfaitement closes, des momies de Dagons se trouvaient enfermées, une par niche. Chacune de ces momies était assise sur un trône d'orichalque et drapée de pourpre. Les premières devaient être fort anciennes, car elles tombaient en poussière, perdant laquelle un bras, laquelle une jambe, ou même la tête. Les manteaux eux-mêmes n'étaient plus que lambeaux. Pourtant, au fur et à mesure de son avance le long de l'interminable couloir, Bob remarquait que les momies étaient en meilleur état, la teinte des manteaux plus vive, pour finir par conserver leur couleur intacte. Il y avait là des milliers de ces momies, rangées de chaque côté du couloir et en faisant une épouvantable galerie d'ancêtres.

Poussé par une sorte d'inertie, Morane continuait à avancer, prêt à chaque instant à céder à l'horreur qui l'envahissait. Par bonheur, ses nombreuses aventures passées avaient trempé ses nerfs, et il savait que ceux-ci ne le lâcheraient pas, sinon il se serait, depuis longtemps déjà, mis à courir devant lui, comme un dément, pour échapper à cette atmosphère de terreur qui l'entourait depuis son entrée dans Ryleh la morte.

Finalement, le couloir déboucha dans une grande rotonde, au centre de laquelle une nouvelle momie était assise sur un trône d'or massif incrusté de pierres précieuses. La momie était vêtue de pourpre et un diadème, également d'or incrusté de diamants et d'émeraudes, enserrait son front à la peau écailleuse. Alors, Bob comprit qu'il se trouvait en présence du Grand Dagon lui-même et que ces momies alignées sur toute la longueur du couloir étaient ceux qui, depuis des siècles, s'étaient succédé sur le trône de Ryleh après l'engloutissement de la cité.

Durant un long moment, Bob demeura immobile, comme écrasé par sa découverte. Ces Dagons, tant craints par les habitants d'Aztlan, étaient des fantômes, et rien d'autre. Des momies impuissantes, fixées dans l'immobilité éternelle... Il se secoua et jeta un regard autour de lui. Les murs de la rotonde étaient couverts de grandes fresques qui résumaient, par de saisissantes images, toute l'histoire de Ryleh depuis le cataclysme.

Allumant la lampe au xénon fixée à l'intérieur du casque, Bob en dirigea le faisceau sur les fresques, en détaillant chaque figure. Il lui fallut longtemps pour faire ainsi le tour de la rotonde, mais quand il eut terminé, plus rien des secrets de Ryleh — ou presque — ne lui échappait.

Comme l'avait dit déjà Chilac, à l'époque où Ryleh avait été engloutie, elle se trouvait gouvernée par un personnage fort savant mais cruel et orgueilleux. Quand la cité se fut stabilisée au fond de l'océan, ce personnage eut l'idée, aidé par les biologistes et les médecins atlantes, d'adapter ses sujets à la vie sous-marine. Par une série d'opérations chirurgicales fort audacieuses, des procédés accélérés d'évolution et, sans doute, par quelque action chimique, ou mécanique sur les chromosomes, deux races nouvelles avaient été créées. La première, essentiellement aquatique, réservée à la classe inférieure ; la seconde, amphibie, réservée à l'élite et à certains groupes de soldats et de travailleurs soigneusement sélectionnés.

Quand, plusieurs siècles plus tard, Aztlan fut engloutie à son tour, les survivants trouvèrent Ryleh habitée par des créatures n'ayant presque plus rien d'humain. Aussitôt, un rapprochement fut fait entre lesdites créatures et les dieux adorés depuis toujours par les Atlantes. Les amphibies habitant l'intérieur de la cité furent assimilés aux Dagons et leur maître devint le Grand Dagon, Seigneur des Abysses.

Profitant de la terreur mystique qu'ils inspiraient, les habitants de Ryleh, aidés par les Ichtyanthropes, ces êtres de la race essentiellement aquatique, s'étaient durant des siècles conduits en monstres de cruauté qu'ils étaient devenus après s'être dépouillés de la personnalité humaine. Ils n'étaient pas immortels, mais les habitants d'Aztlan les croyaient tels, et cela suffisait.

« Ces momies alignées dans leurs niches, de chaque côté du grand couloir de verre, pensa Morane, sont celles de tous les Dagons qui, au cours des siècles, se sont succédé sur le trône de Ryleh. » Il se tourna vers la momie assise sur son trône d'or, au centre de la rotonde. « Et voilà ce qui reste du dernier des Grands Dagons. Un jour, sans doute, une terrible maladie, peut-être d'origine fonctionnelle, ou dégénérative, sera venue frapper les habitants de la cité, foudroyant les amphibies comme jadis le feu du ciel foudroyait les ennemis d'Israël. Quand et comment cela se passa-t-il et quelle fut exactement l'origine de cette épidémie, sans doute ne le saurons-nous jamais... L'extrême pureté de l'air contenu à l'intérieur du globe enfermant la cité, et peut-être un élément spécial qui s'y trouve contenu, aura permis aux cadavres d'échapper à la décomposition et de se momifier parfaitement... »

Ainsi, ce Seigneur des Abysses, adoré et craint par les habitants d'Aztlan, n'était en réalité qu'un corps mort, impuissant et inerte.

Morane se secoua. Ses découvertes lui avaient fait oublier le but de ses recherches. Il se lança à nouveau à travers le palais. Dans un vaste caveau, il découvrit un nouvel entassement de trésors semblables à ceux trouvés déjà dans le sas. Pièces de monnaies, bijoux, idoles aztèques ou incas, objets sacrés, mais ici en abondance plus considérable encore. Il y avait là de quoi faire la richesse de dix royaumes...

A présent, Bob pouvait fixer approximativement l'époque où la maladie avait fondu sur Ryleh. Ces trésors dataient en grande partie du XVIIe siècle, au cours duquel les pirates français et anglais d'Amérique pillaient et coulaient les galions espagnols. Sur l'ordre des Dagons, les Ichtyanthropes avaient recueilli les richesses trouvées dans les épaves, pour les rapporter à Ryleh, où elles avaient été entreposées dans ce caveau. Après l'anéantissement des Dagons, mus par une sorte d'instinct religieux, souvenir de la terreur que leurs maîtres faisaient peser sur eux, les Ichtyanthropes avaient continué leurs offrandes, au hasard des découvertes. Comme ils ne pouvaient pénétrer à l'intérieur de la ville sous globe, les hommes-poissons avaient déposé l'or et les joyaux dans la chambre du sas, où ils étaient demeurés. On pouvait donc dire avec une quasi-certitude que les Dagons avaient été anéantis entre la fin du XVIIe siècle et l'époque contemporaine, il y avait peut-être cent ou deux cents ans de cela.

En lui-même, Morane ne pouvait s'empêcher d'admirer la perfection de la technique acquise par les Atlantes puisque, depuis la mort collective des Dagons, le mécanisme automatique des sas continuait à fonctionner comme par le passé.

Continuant ses investigations, Bob finit par découvrir, au dernier étage du palais, un grand atelier avec ses tours, ses fileteuses, ses appareils à souder, ses scies. Dans un coin, il trouva même toute une collection de petites tiges d'acier inoxydable. Il en choisit une dont, grâce aux outils dont il disposait, il n'aurait aucune peine à confectionner une nouvelle antenne. Aussitôt, il se mit au travail...

*
**

Bob Morane se redressa, un sourire de satisfaction sur les lèvres. La nouvelle antenne était achevée et fixée au casque. Avec un peu de chance, il pourrait se mettre en communication avec le tank, donc avec ses amis.

« Pourvu, pensait-il, que mon poste à ondes courtes soit assez puissant... »

Il ne savait pas en effet quelle distance séparait Ryleh de Aztlan. L'orichalque cristallisé, dont étaient faits les globes protecteurs des deux cités, pouvait également former écran. Pourtant, Bob ne le pensait pas...

Après avoir réglé l'émetteur-récepteur, il se coiffa du casque et appela le *Trilobite* :

— Bob vous parle !... Bob vous parle !... Répondez... Over...

Il n'obtint aucune réponse. Pourtant, il était sûr à présent que son poste fonctionnait. Il réitéra son appel. En vain...

— Sans doute ont-ils regagné Aztlan, me

croyant perdu à jamais, murmura-t-il. Ils auront quitté le tank et se seront dépouillés de leurs scaphandres. Voilà sans doute pourquoi ils ne m'entendent pas. Il me paraît pourtant incroyable que l'un d'entre eux ne soit pas demeuré à l'écoute. Et si ma batterie était à plat...

Il n'en était rien. La lampe témoin demeurait allumée, sans le moindre clignotement.

Rapidement, Morane chercha une autre longueur d'ondes et appela à nouveau :

— Ici Bob !... Ici Bob !... Répondez... Over...

Un bref grésillement et une voix retentit, si faible et si déformée que Bob ne put décider auquel de ses compagnons elle appartenait.

— Bob, demandait la voix, que vous est-il arrivé ? Où êtes-vous ?...

— A Ryleh...

— A Ryleh ? Comment êtes-vous ?...

— Trop long à expliquer... Venez...

La communication fut interrompue et, cette fois, malgré tous ses efforts, Morane ne put l'obtenir à nouveau. Un court-circuit devait s'être produit quelque part. Finalement, Bob reposa le casque et sourit.

— De toute façon, murmura-t-il, mes compagnons sont avertis. Ils viendront me chercher avec le tank. Les Atlantes leur indiqueront le chemin...

Brusquement, il se raidit, l'oreille aux aguets. Quel était ce bruit régulier qui lui parvenait, rompant le lourd silence de la ville morte? Un bruit de pas, c'était cela... Un bruit de pas tout proche...

Morane continua à prêter l'oreille. Déjà pourtant son opinion était faite. Quelqu'un marchait dans le palais du Grand Dagon...

« Qui peut venir là? Mes compagnons sont loin, à Aztlan sans doute, et ils ne seront peut-être pas ici avant plusieurs heures... Serait-ce une de ces momies?...

Il se secoua.

« Ne perdons pas la tête. Les Dagons sont bien morts, et il faudrait une série de miracles pour qu'ils se dressent et se remettent à marcher... *Qui donc d'ailleurs pourrait se promener dans cette cité morte?* Allons, cette solitude forcée m'a détraqué les nerfs, et mes sens m'abusent... »

Mais Bob savait qu'il n'en était rien. Le bruit de pas était devenu plus précis, et il se rapprochait sans cesse. Une menace...

CHAPITRE XIV

— J'ai contacté Bob!... J'ai contacté Bob!...

Bousculant les gardes, John Palmer pénétra en coup de vent dans la salle du palais central, à Aztlan, où se trouvaient réunis Chilac, Kearney, Harambur et Olsen. Les quatre hommes s'étaient tournés vers lui.

— Vous dites avoir contacté Bob? interrogea Kearney.

Palmer hocha la tête affirmativement.

— A vrai dire, professeur, c'est Bob qui m'a contacté...

— Pourquoi ne l'a-t-il pas fait plus tôt?

— Je ne sais pas... Sa voix était basse et fortement déformée. J'ai seulement pu entendre quelques mots, comme : « A Ryleh... Trop long à expliquer... Venez... »

— Êtes-vous certain qu'il s'agissait bien de Bob? demanda encore Kearney.

— Qui d'autre cela pourrait-il être? intervint

le professeur Harambur. Je ne crois pas, Bill, qu'il y ait des radio-amateurs dans le coin...

Kearney eut un petit sourire embarrassé.

— Vous avez raison, Steve. Où donc avais-je la tête?...

Le chef de l'expédition se tourna à nouveau vers John Palmer.

— Êtes-vous bien sûr que Bob a parlé de Ryleh?

— Oui. Je lui ai demandé où il se trouvait, et il m'a répondu: « A Ryleh... ».

Déjà, Olsen avait rapporté les paroles de Palmer à Chilac. Le visage du vieux maître d'Aztlan devint grave.

— Ryleh! dit-il. Si votre ami est prisonnier dans Ryleh, jamais vous ne le reverrez... Le Seigneur des Abysses ne lâche pas ainsi sa proie... Si vous voulez aller à son secours, vous serez détruits vous aussi...

Quand Olsen eut traduit les déclarations du vieillard, Kearney se leva.

— Que nous courrions un danger ou non, nous devons aller au secours de Bob. Depuis notre départ des îles Caicos, nous avons eu à de nombreuses reprises des preuves de sa sincérité, de son dévouement et de son désintéressement. Nous l'avons embarqué dans cette aventure. A nous de l'en tirer...

Le professeur Harambur se leva à son tour.

— Bill a raison. Nous sommes tous responsables de la vie de notre ami. Il nous faut tenter de le secourir, même si nous devions tous y perdre la vie...

L'opinion de Kearney et d'Harambur semblait partagée par leurs deux compagnons.

— Le tout n'est pas d'aller à la recherche de notre ami, dit Olsen, mais il nous faudrait savoir où se trouve exactement cette maudite cité de Ryleh...

L'archéologue se tourna vers Chilac et parlementa longtemps avec lui. Quand il eut terminé, il revint à ses amis.

— Notre hôte consent à nous adjoindre un guide, qu'il choisira parmi les habitants d'Aztlan ayant failli aux lois de la communauté. Personne d'autre n'accepterait de nous accompagner. Selon Chilac, agir comme nous le faisons est une folie. Jamais personne n'est revenu vivant de Ryleh. Les Dagons sont tout-puissants et ils châtient durement ceux qui tentent de troubler leur retraite...

Le professeur Kearney fit le geste de balayer quelque chose devant lui.

— Danger ou non, nous n'avons pas le choix. Depuis de nombreuses heures déjà, nous vivons dans l'inquiétude, nous interrogeant sur le sort de notre ami. Maintenant que nous savons où il se trouve, nous devons passer à l'action. Si les Dagons se mettent sur notre chemin, tant pis pour eux. Nous avons nos radiors, et nous n'hésiterons pas à nous en servir...

— Voilà qui est parlé ! éclata Harambur. Allons nous préparer maintenant...

156

Après s'être inclinés devant le maître d'Aztlan, les quatre Anglais sortirent du palais pour rejoindre le *Trilobite*. Une demi-heure plus tard, celui-ci quittait Aztlan et fonçait dans la nuit de l'abîme, en direction de Ryleh.

*
**

Bob Morane écoutait croître ce pas à l'intérieur du palais du Grand Dagon. Maintenant, sa peur du début l'avait quitté. Il savait que les momies ne pouvaient se lever et se mettre à marcher. Il s'agissait donc d'un homme. Peut-être un de ses amis, ou un Atlante, capturé également par les Ichtyanthropes qui, selon la coutume millénaire, changée à présent en instinct, étaient venus le conduire à Ryleh.

Le visiteur inconnu avait maintenant quitté les étages inférieurs et devait s'engager dans l'escalier conduisant à l'atelier où se trouvait Morane. Son pas retentissait tout proche à présent.

Instinctivement, Morane chercha une arme, mais il trouva seulement une sorte de grande clef anglaise pouvant faire parfaitement office de casse-tête. D'un pas rapide et silencieux, il alla vers la porte et se colla à la muraille, de façon à ce que le battant, en s'ouvrant, se rabatte sur lui et le dissimule aux regards.

De longues secondes s'écoulèrent. Les pas se rapprochaient de plus en plus, occupant à présent tout le silence. Enfin, la porte s'ouvrit doucement et un homme pénétra dans l'atelier. Il était

grand et vêtu d'une combinaison d'homme-gre-
nouille, en caoutchouc synthétique. Des bottes
militaires le chaussaient. A sa ceinture, un revolver pendait dans son étui. Bob n'avait pas vu le
visage du nouveau venu, pourtant il savait qu'il
ne s'agissait pas de l'un de ses compagnons, ni
d'un Atlante.

— Ne faites pas un geste, dit-il d'une voix
brève, en anglais.

L'homme sursauta violemment et s'immobilisa. On le devinait frémissant, tendu comme une
corde prête à se rompre.

— Soyez sans crainte, fit encore Morane, je ne
suis pas un spectre. Tournez-vous...

Il tenait sa pseudo clef anglaise à deux mains,
prêt à frapper au moindre geste hostile de
l'homme. Celui-ci avait pivoté sur lui-même,
montrant un visage jeune, aux yeux légèrement
bridés, à l'expression dure. En apercevant
Morane, il sourit.

— Vous m'avez fait peur, dit-il en anglais lui
aussi. Dans cette cité fantôme, peuplée seulement par des cadavres momifiés, il faut avoir des
nerfs solides pour ne pas flancher...

— Qui êtes-vous? interrogea Bob.

L'autre ne répondit pas tout de suite. Visible-
ment, il n'était pas préparé à cette question. Au
bout d'un moment cependant, il parut reprendre
contenance et répondit, toujours en anglais:

— Je fais partie d'une expédition océanographique américaine. J'étais descendu en bathys-

158

caphe pour filmer le fond de la mer des Sargasses, quand ces maudits hommes-poissons m'ont capturé...

Morane eut un sourire narquois. Il avait remarqué l'hésitation du personnage. En outre, celui-ci parlait anglais avec un accent étranger, très différent de l'américain...

— Vous n'êtes pas plus américain que je ne suis espagnol, fit Bob. Vous parlez l'anglais comme un Eurasien, dont vous avez d'ailleurs le physique.

Il s'interrompit. Un doute lui était soudain venu. Un doute qui, de plus en plus, prenait corps.

— Est-ce que, par hasard, vous n'appartiendrez pas à cette bande de forbans venus pirater sur les îles Caicos, pour y capturer le *Trilobite* du professeur Kearney?...

Au mot de « forbans », l'homme avait sursauté. Il se raidit soudain et dit, dans un claquement de talons :

— Je ne suis pas un forban. Je suis le colonel Kapek, de l'armée...

Un éclat de rire, lancé par Morane, l'interrompit.

— Repos, colonel Kapek... Ainsi, vous reconnaissez avoir participé à l'affaire des îles Caicos?

Kapek eut un signe affirmatif.

— Oui... Je me trouvais à la tête des commandos... Pourquoi ne vous l'avouerais-je pas puisque, après tout, nous ne reverrons sans doute jamais la lumière du jour?...

— Voire, fit Bob. Mais pouvez-vous me dire comment vous êtes parvenu jusqu'ici?

En quelques mots, le colonel Kapek expliqua comment, après avoir été engourdi par les Ichtyanthropes, il s'était réveillé dans le sas, où les hommes-poissons avaient tiré le bathyscaphe. Quand le sas se fut vidé, Kapek était sorti de la sphère d'acier, pour s'aventurer lui aussi à travers Ryleh. Il termina son récit en disant:

— Peut-être vaudrait-il mieux nous entendre. De toute façon, ou nos jours sont comptés, ou nous sommes condamnés à demeurer à jamais prisonniers dans cette ville maudite...

— N'en soyez pas si sûr, colonel. J'ai, comme vous, été capturé par les hommes-poissons. Cependant, j'ai réussi à me mettre en communication, par radio, avec mes compagnons. Bientôt, sans doute, ils viendront ici à bord du *Trilobite*. Je vous remettrai entre leurs mains, et ce sera à eux de décider de votre sort...

Le colonel Kapek ne répondit pas aussitôt. Il devinait qu'il était inutile de ruser avec son interlocuteur, du moins pour l'instant. Avant tout, il se révélait important de s'en faire un allié...

— J'ai une proposition à vous faire, dit-il enfin.

Bob étudia le visage de Kapek, comme un boxeur étudie celui de son adversaire. Il s'attendait à ce que l'officier préparât quelque mauvais coup, et il préférait se tenir sur ses gardes.

160

— Allez-y toujours, fit-il. Si cette proposition ne me convient pas, je pourrai toujours la repousser avec tous les honneurs qui lui seront dus...

Pendant un moment, Kapek parut hésiter, comme s'il ne parvenait pas à se résoudre à parler. Finalement, il s'y décida :

— Si vous avez visité complètement le palais, vous avez dû découvrir, vous aussi, les trésors qui y sont entreposés...

— Bien entendu, dit Bob. Mais je ne vois pas...

— Vous allez comprendre tout de suite. Quand vos amis arriveront, nous les attaquerons par surprise et nous nous emparerons du tank. Nous remplirons celui-ci de toutes les richesses qu'il pourra emporter et nous rejoindrons les îles Caïcos...

— En abandonnant mes compagnons ici, bien entendu. Continuez, colonel Kapek...

— Une fois sur l'îlot, nous partagerons notre butin en deux parts égales...

— Et à votre part s'ajoutera le *Trilobite*, auquel votre gouvernement, si épris de paix, donnera sans doute une nombreuse descendance...

— C'est cela tout juste, répondit Kapek. Que pensez-vous de mon projet ?

Morane sourit de façon engageante.

— J'en pense beaucoup de bien, dit-il, car il m'éclaire sur votre nature. Vous êtes un scélérat, colonel Kapek, et je préférerais pourrir ici plutôt que de m'allier à vous...

— Ainsi, vous rejetez ma proposition ?

— Non seulement je la rejette, lança Morane, mais je vous saurais gré de ne plus perdre votre temps à faire de vaines tentatives pour me corrompre...

Sur le visage de l'officier, une grimace de haine apparut, lui déformant les traits.

— Tant pis, dit-il, vous l'aurez voulu. Je serai seul à m'occuper de vos amis...

D'un mouvement rapide, il tira son revolver. Il n'eut pas le temps de s'en servir. La lourde clef anglaise, tenue par Morane, s'était abattue sur son avant-bras. Kapek poussa un gémissement de douleur et lâcha son arme.

— Vous m'avez cassé le bras, dit-il.

Morane se baissa et récupéra le revolver.

— Non, colonel Kapek, un bras ne se casse pas aussi facilement, surtout quand il est recouvert de caoutchouc mousse. Et puis, si le vôtre est cassé, mes amis vous le remettront en place. Le professeur Harambur par exemple...

Bob ricana.

— Oui, le professeur Harambur. Personne mieux que lui ne soit s'entendre à réduire une facture... avec douceur...

CHAPITRE XV

Tantôt cheminant sur ses puissantes chenilles, tantôt mû par ses réacteurs hydrauliques, le *Trilobite* avançait en direction de Ryleh. Presque aussitôt après son départ d'Aztlan, les Ichtyanthropes l'avaient entouré, mais le grand radior orientable les avait mis en fuite. Depuis, ils se tenaient à distance.

A différentes reprises, Kearney avait tenté de contacter Morane par radio, mais sans obtenir de réponse.

— Ce silence m'inquiète, finit-il par déclarer. Pourvu que nous n'arrivions pas trop tard...

Le professeur Harambur avait secoué ses larges épaules.

— Inutile de nous alarmer autre mesure, Bill. Bob est de taille à se défendre. Il l'a prouvé à de nombreuses reprises. Sans doute son poste est-il hors d'usage, tout simplement...

L'Atlante, qui accompagnait les quatre explorateurs, désigna une tache lumineuse à l'avant du tank.

— Ryleh! dit-il simplement.

Kearney et ses trois compagnons regardèrent dans la direction indiquée. John Palmer, qui tenait les commandes, avait poussé les réacteurs à leur maximum, et la tache de lumière grandissait rapidement.

— Cela m'a tout l'air d'être une ville sous globe en tous points semblable à Aztlan, constata Kearney.

— C'est ainsi, souvenez-vous-en, que Chilac nous a décrit Ryleh, fit remarquer Olsen. Pourtant, Aztlan dégage une clarté beaucoup plus vive. Cette Ryleh me fait songer à une chandelle en train de s'éteindre.

— Ne gaspillons pas nos énergies en de vaines paroles, coupa le professeur Harambur. Chandelle ou non, Ryleh va recevoir notre visite, et nous saurons bientôt à quoi ressemble ce Seigneur des Abysses, que le diable l'emporte...

La ville sous globe était à présent toute proche. Palmer tendit le bras dans sa direction.

— Regardez, dit-il, nous avons de la visite...

Une troupe compacte d'hommes-poissons — il devait y en avoir plusieurs milliers —, s'interposait entre le tank et la cité des Dagons, comme s'ils avaient voulu en interdire l'accès.

Harambur éclata de rire.

— S'ils croient pouvoir nous arrêter, ils se trompent. Notre *Trilobite* est trop puissant. Il passera à travers leurs lignes comme un chien savant à travers un cerceau de papier...

— Méfions-nous malgré tout, conseilla Kearney. N'oublions pas que ma kearnalumine est en partie perméable aux très basses températures. En conjuguant les fluides de leurs pistolets réfrigérants, les Ichtyanthropes pourraient nous occasionner de sérieux ennuis...

Le chef de l'expédition avait à peine prononcé ces paroles qu'une vague glacée tomba sur les occupants du tank.

— Faites usage du radior, John, cria Kearney. Nous n'avons pas le choix...

Palmer obéit, et un rayon calorifique vint faire le vide dans la foule compacte des hommes-poissons. Déjà, le *Trilobite* était passé. Derrière cependant, les assaillants avaient reformé leurs rangs et, seuls, les effets dévastateurs du grand radior les tenaient à distance.

Comme Rylch et Aztlan avaient été, à peu de choses près, construites sur le même modèle, les explorateurs n'eurent aucun mal à repérer le grand sas et le *Trilobite* se posa à proximité, prêt à y pénétrer dès que la porte extérieure en serait ouverte.

Kearney et Harambur avaient revêtu leurs scaphandres.

— Couvrez-nous avec le radior, jeta le biologiste à l'adresse de Palmer. Ni Bill ni moi ne tenons à périr gelés. Personnellement, je n'ai jamais été tenté par les aventures polaires...

Les deux hommes pénétrèrent dans le sas et, quelques minutes plus tard, ils foulaient le sol sous-marin. Partout, à la lueur de leurs lampes et des projecteurs du tank, ils apercevaient les formes équivoques et démoniaques des Ichtyanthropes. Lentement, Harambur et Kearney s'avancèrent vers la porte du sas donnant accès à Ryleh. Le sacrilège qui se préparait rendit du courage aux hommes-poissons, qui fondirent sur les intrus. Le radior du *Trilobite* les balaya. Plusieurs cependant parvinrent jusqu'aux deux hommes. Kearney, faisant usage de son radior, se débarrassa de trois d'entre eux. Un quatrième périt sous la hache du professeur Harambur. Les survivants s'enfuirent en dardant quelques rayons réfrigérants dont, grâce à leurs revêtements de kearnalumine, les savants ressentirent à peine les effets.

Quand le malaise fut passé, Harambur se précipita sur la porte du sas et en manœuvra le volant de fermeture. Quand le battant s'ouvrit, Kearney et Harambur, précédant le tank, pénétrèrent à l'intérieur du sas, où les Ichtyanthropes ne les poursuivirent pas.

Un quart d'heure plus tard, quand le bief se fut vidé, le tank put enfin accéder à la cité elle-même. Les quatre savants et l'Atlante se retrouvèrent au centre de l'esplanade, inspectant les bâtiments proches, les artères vides et silencieuses.

— Ryleh ne m'a pas l'air fort habitée, fit remarquer Olsen.

166

— Habitée ou non, dit Harambur, nous n'avons pas encore, jusqu'ici, aperçu ne fût-ce que le bout de l'oreille d'un Dagon. C'est à désespérer de tout...

— Ne désespérez pas trop vite, Steve, fit Kearney. Nous allons avoir de la compagnie...

Là-bas, deux silhouettes venaient d'apparaître. Deux silhouettes humaines. Dans l'une d'elles, le professeur Harambur, qui possédait une vue d'aigle, n'eut aucune peine à reconnaître Bob Morane.

*
**

Sous la conduite de Morane, toujours accompagné du colonel Kapek, Kearney, Harambur, Olsen, Palmer et l'Atlante avaient visité Ryleh et se retrouvaient maintenant près du tank, au centre de l'esplanade.

Une lourde angoisse pesait sur les membres de l'expédition.

— Ainsi, dit Kearney, ces Dagons, que les Atlantes continuaient tellement à craindre, sont tous morts depuis plusieurs siècles...

— Oui, fit Bob, et seule la peur superstitieuse qu'ils inspiraient a pu faire croire à leur survivance...

Du doigt, il désigna la momie la plus proche.

— Reste à savoir de quoi ils sont morts exactement...

Le professeur Harambur eut un geste vague.

— Les Dagons ont été créés par mutation

artificielle. Un déséquilibre fonctionnel quelconque a pu en découler qui, allant en s'aggravant au cours des siècles, a fini par aboutir à une crise collective. Il est possible également que les Dagons, être amphibies, aient, de plus en plus, par une sorte d'évolution à rebours, eu tendance à retourner à une existence exclusivement aquatique, et cela sans s'en rendre compte. Une nouvelle et brusque mutation peut s'être alors produite et...

— ... Et nos Dagons sont morts en quelques heures, comme des poissons tirés hors de l'eau, compléta Morane.

— En effet, fit Harambur. Un tel phénomène de mutation survenant après la naissance est contraire à toutes les lois actuellement connues de la biologie, mais nous savons encore si peu de choses en ce domaine...

L'Atlante qui accompagnait les savants se tenait un peu à l'écart du groupe. Les épaules basses, l'œil égaré, il semblait en proie à un immense désarroi. Olsen le fit remarquer à ses compagnons.

— Ne soyons pas étonnés de cette attitude, dit Kearney. Depuis toujours, les habitants d'Aztlan ont cru à l'existence divine des Dagons. A présent, notre guide vient de se rendre compte que ces Dagons et leur chef, le Seigneur des Abysses, n'existaient plus. C'est un peu comme si, pour lui, brusquement, les dieux venaient de mourir...

— Au lieu de se désespérer, remarqua

Harambur, les Atlantes devraient au contraire se réjouir. Les Dagons se sont toujours conduits en tyrans...

— Bien sûr, admit Kearney, mais la peur et la souffrance elles-mêmes deviennent parfois une raison de vivre pour les hommes. Songez à ceux-là que l'alcool et la drogue empoisonnement lentement. Ils le savent et, pourtant, ils ne pourraient envisager l'existence sans leurs poisons. La peur inspirée par les Dagons pourrait fort bien être devenue une sorte d'opium pour les Atlantes...

Sans que de nouvelles paroles fussent échangées, la petite troupe regagna le tank. Quand tous y furent enfermés, le colonel Kapek demanda :

— Qu'allez-vous faire de moi ?

Dans la voix de l'officier, il y avait de l'inquiétude. Harambur éclata de rire.

— Ne faites pas cette tête, colonel, nous ne vous abandonnerons pas, soyez-en certain. Nous n'avons plus rien à faire ici. Dans quelques jours, nous regagnerons notre base des îles Caicos. Là, nous déciderons de votre sort. Nous vous remettrons sans doute entre les mains des autorités britanniques. Ce qui pourrait vous arriver de pire, ce serait d'être condamné à mort comme espion.

Le colonel Kapek se retint à grand-peine de sourire.

« Les îles Caicos, bien sûr, songea-t-il. Mais,

quand nous les aurons regagnées, messieurs, une bien désagréable surprise vous y attendra. Cette fois, vous n'échapperez pas à mes commandos... »

Évidemment, le colonel Kapek, en bon stratège, avait mis toutes les chances de son côté. Pourtant, il comptait sans le hasard qui, souvent, fait bien les choses...

CHAPITRE XVI

Le retour à Aztlan s'effectua sans trop d'ennuis. Les Ichtyanthropes avaient bien tenté de s'y opposer, mais les radiors les avaient mis en fuite.

Hélas, la nouvelle que les Dagons n'étaient plus, qu'ils n'avaient jamais été dieux mais des êtres mortels, sema parmi les Atlantes un désarroi proche du désespoir et de la panique ! Le peuple de la cité engloutie avait envahi le temple du Grand Dagon pour s'y répandre en lamentations, supplier leur redoutable dieu de ne pas les abandonner. Mais eux-mêmes savaient à présent que leurs prières ne pouvaient être entendues...

Pour les Terriens, l'heure du départ était venue. Les buts de l'expédition avaient été atteints au-delà de toute espérance, et ils se sentaient pressés de retrouver l'air libre. En outre, les provisions commençaient sérieusement à diminuer et l'on avait déjà usé près de la moitié du cuivre servant de combustible aux réacteurs.

171

Le lendemain de leur visite à Ryleh, Morane, Kearney, Harambur et Olsen, laissant le colonel Kapek à la garde de Palmer, s'étaient rendus auprès de Chilac pour lui annoncer leur départ et envisager avec lui les mesures qui, bientôt, devaient permettre aux Atlantes de regagner les terres émergées. Mais le vieillard avait secoué la tête. Sur son visage, la résignation seule se lisait et il y avait une grande tristesse dans son regard.

— Non, mes amis, dit-il, il est inutile de faire des projets qui ne pourraient jamais être réalisés. Le glas de la race atlante a définitivement sonné.

— Que voulez-vous dire ? interrogea Olsen.

— Seuls, les dieux donnent une raison d'espérer aux hommes. Toute l'organisation sociale et morale d'Aztlan était basée sur le culte des Dagons. A présent, il ne nous reste plus qu'à nous coucher pour attendre la mort...

L'archéologue sursauta violemment. Il rapporta les paroles de Chilac à ses compagnons, puis dit encore, toujours dans ce parler laborieux, entrecoupé de pantomimes, seul moyen qu'il avait de s'entretenir avec les Atlantes.

— La résignation est une vertu souvent néfaste, fit-il. En tentant de regagner l'air libre, il vous reste une chance de survivre.

Chilac secoua la tête à nouveau.

— Non, dit-il, nous n'avons aucune chance de survivre. Depuis des siècles, je vous l'ai déjà dit, nous respirons un air pur, presque dépourvu de microbes. Nos organismes ont perdu l'habitude

de résister à la maladie, et là-haut, nous mour-
rions tous. Non, les jours des derniers Atlantes
sont comptés. Dans deux heures, Aztlan ne sera
plus.

— Qu'allez-vous faire ?

— Les portes de la cité seront ouvertes et l'eau
envahira la coupole d'orichalque. Ainsi, nous
n'aurons pas trop longtemps survécu à nos dieux.

Quand Olsen eut traduit les dernières paroles
du vieillard, Morane s'exclama :

— Mais ils ne peuvent pas faire cela ! C'est de
la démence !...

De la main, le professeur Kearney calma le
Français, pour demander à l'adresse d'Olsen :

— Pouvons-nous encore les faire changer
d'avis ?

L'archéologue eut un signe de dénégation.

— J'ai bien peur que nous ne puissions plus
rien, dit-il. Comme vous l'avez dit vous-même
hier, Bill, la peur des Dagons est devenue une
sorte d'opium pour les Atlantes. Privés de cet
opium, il ne leur reste plus à présent qu'à mourir...

— Essayez encore de convaincre notre hôte,
fit Bob. Nous devons tout tenter pour arracher
ces pauvres gens à leur destin.

A nouveau, Olsen s'adressa à Chilac :

— Nous voudrions faire quelque chose pour
vous. Vous montrer la folie de votre geste...
Vous convaincre...

— Il n'y a pas à nous convaincre, interrompit

le vieillard. Déjà, le peuple d'Aztlan a été averti de ma décision, prise d'ailleurs avec l'approbation du Conseil des Sages, et elle a été acceptée avec calme et résignation. Les Atlantes ont compris depuis longtemps qu'on pouvait reculer le destin, mais non y échapper...

Chilac croisa les bras sur la poitrine.

— Partez, amis Terriens, dit-il. Partez sans retard... Vous avez juste le temps de vous éloigner avant que l'eau n'envahisse la cité...

Morane et les trois savants s'entre-regardèrent. Finalement, Kearney eut un geste d'impuissance.

— Je crois que nous ne pouvons rien, fit-il d'une voix sans timbre. Nous attarder serait courir le risque d'être engloutis nous aussi...

Après avoir salué le vieux Chilac, ils sortirent du palais. Les épaules basses, écrasés par une épouvantable fatalité.

Deux heures s'étaient écoulées depuis que Morane et ses compagnons avaient quitté Chilac. Ils avaient regagné le *Trilobite* et, après être sortis d'Aztlan, s'étaient éloignés aussitôt.

Le tank n'était cependant pas allé très loin.

— Et si Chilac, à la dernière minute, mû par un instinct de conservation, était revenu sur sa décision ? fit Bob. Si Aztlan n'était pas détruite, jamais nous ne le saurions...

— Bob a raison, avait dit Kearney à son tour.

Nous ne pouvons demeurer dans le doute. Il nous faut savoir...

A présent, le tank flottait à une certaine distance de la ville sous globe, que l'eau envahissait rapidement.

— Chilac a tenu parole, disait Kearney. Chilac a tenu parole...

Les passagers du tank, y compris le colonel Kapek, assistaient, impuissants, à ce drame silencieux d'un peuple qui, après avoir réussi à survivre, dans des conditions fort précaires, durant plusieurs millénaires, s'anéantissait maintenant de sa propre volonté.

Morane, le visage collé à la baie, sentait une colère sourde l'envahir. N'était-ce pas un peu lui qui, sans le vouloir, était à la base du désespoir des Atlantes ? N'était-ce pas lui qui, à la suite de son involontaire visite à Ryleh, les avait « privés » de leurs dieux ? Certes, Bob savait ne pas être responsable de cet état de choses. Il aurait alors fallu accuser les savants qui avaient organisé l'expédition, les hommes-poissons qui l'avaient enlevé, alors que seul le destin était en cause.

Plus personne à présent ne devait être vivant dans Aztlan. Déjà, l'eau occupait la plus grande partie de la cloche. Les explorateurs auraient dû se détourner, mais ils se sentaient comme fascinés, empoignés par une horreur paralysante.

— On dirait que l'eau monte moins rapidement, fit remarquer Bob.

— L'air doit être comprimé de plus en plus dans la partie supérieure de la cloche, expliqua Kearney, et il freine toujours davantage la montée du liquide...

Harambur se redressa.

— Mes amis, dit-il, nous étions venus ici dans l'espoir de découvrir les vestiges de l'Atlantide. Nous venons d'assister à sa fin...

Bob Morane secoua la tête.

— Non, professeur, la fin de l'Atlantide est survenue en réalité il y a bien longtemps. Les hommes que nous avons côtoyés là-bas avaient seulement réussi à survivre, à contrecarrer les forces de la nature... Aujourd'hui, la nature a repris tous ses droits. Les derniers des Atlantes viennent de périr...

— Vous oubliez les Ichtyanthropes, Bob, fit Olsen. Ne sont-ils pas, eux aussi, des Atlantes ?

A ce moment, John Palmer poussa un cri.

— Regardez !

Il désignait la ville sous globe, au sein de laquelle les bâtiments maintenant engloutis continuaient à diffuser leurs lumières. L'énorme coupole, sous la double pression du liquide et de l'air comprimé à sa partie supérieure, venait d'éclater. Il y eut un monstrueux bouillonnement qui, pendant un instant, boucha toute vue.

— Mieux vaudrait nous écarter, dit Kearney. Inutile de courir le risque d'être saisis dans un remous. A cette profondeur, toute avarie pourrait nous être funeste...

Cet avis se perdit dans un hurlement.

— Là-bas!... Attention!...

Une énorme bulle d'air comprimé, comme jaillie de la bouche d'un gigantesque canon, montait en direction du tank.

Palmer, qui se trouvait le plus près du tableau de commandes, bondit pour mettre en marche les réacteurs hydrauliques. Trop tard. La bulle de lumière, en atteignant le *Trilobite*, avait éclaté. Le véhicule vacilla, comme s'il allait se retourner puis, pendant une fraction de seconde, il se stabilisa. Palmer avait été projeté contre la cloison. Mais Morane, à son tour, avait bondi pour réussir, dans une détente désespérée, à atteindre le tableau de bord et à abaisser les deux manettes qui, respectivement, commandaient la vidange des ballasts et la libération du lest. Au même moment, le *Trilobite* bascula et se retourna à demi. Bob dégringola vers le fond du poste, tenta d'amortir sa chute. Sa tête porta contre la cloison de kearnalumine et il perdit connaissance...

CHAPITRE XVII

Après une remontée relativement rapide, le *Trilobite* avait atteint la surface. Le réflexe de Bob qui, à l'instant de la catastrophe, avait eu la présence d'esprit de vider les water-ballasts et de libérer le lest, s'était révélé providentiel. Au moment où le tank s'était retourné, plusieurs éléments de son mécanisme avaient été faussés, le rendant impuissant à gouverner en profondeur. Sans la présence d'esprit de Morane, il fut peut-être devenu un cercueil pour ses passagers. Maintenant, il n'était plus qu'une épave, mais il flottait à la surface de la mer des Sargasses, et cela seul comptait.

Des six hommes, seuls Harambur et le colonel Kapek étaient indemnes. Morane et Palmer souffraient de commotion ; Kearney s'était foulé un poignet et Olsen portait une vilaine blessure à l'épaule. Quand les premiers soins eurent été donnés, on envisagea la situation avec calme. On se trouvait en plein centre de la mer des Sar-

178

gasses, dans une région où passaient peu de navires. Le poste émetteur du *Trilobite*, devant uniquement servir pour garder le contact avec les scaphandriers, n'avait pas été prévu pour porter à des grandes distances.

Morane regardait avec mélancolie l'étendue morne de la mer, où les algues agglomérées posaient de grandes taches d'un brun verdâtre.

— Nous voilà encalminés ici, dit-il. Heureusement, nous avons des vivres et pouvons tenir pendant quelques jours. N'y aurait-il pas moyen de remettre les réacteurs en état, professeur ?

Kearney secoua la tête.

— Nous ne possédons pas l'outillage nécessaire, et il nous faudrait plusieurs jours de travail pour y parvenir. Peut-être même plusieurs semaines...

Assis dans un coin de la chambre des commandes, le colonel Kapek ricana.

— Alors, il ne nous reste plus qu'à attendre une bonne petite tempête, qui nous poussera doucement vers de cléments rivages...

— Ne souhaitez pas cela, colonel, et pour deux raisons, répondit Kearney. La première est que le *Trilobite* a été conçu pour naviguer sous eau, et non en surface. En cas de gros temps, il se comporterait sans doute moins bien qu'une vieille boîte de conserve. La seconde raison est la suivante : si nous réussissons à aborder quelque part, vous serez aussitôt remis entre les mains de la justice... Pour l'instant, le sort vous favorise...

Morane se mit à rire.

— Donc, une tempête nous mettrait en mauvaise position. D'autre part, si le temps continue à demeurer calme, nous risquons de moisir ici ad vitam æternam. Reste une solution, mais elle ne me semble pas plus favorable...

— De quoi voulez-vous parler, Bob? interrogea Kearney.

Morane se tourna vers Harambur.

— Vous souvenez-vous, professeur, avoir affirmé que la mer des Sargasses était le rendez-vous de toutes les mines flottantes semées dans l'Atlantique au cours des deux guerres?

Le biologiste acquiesça.

— Je vous ai dit cela, en effet, Bob. Mais je ne vois pas très bien où vous voulez en venir...

— A ceci tout simplement, professeur. Nous pourrions heurter l'une de ces mines et alors, poum! c'en serait fini de nos souffrances...

Personne ne répondit à ces paroles, mais les regards d'Harambur étaient lourds de sous-entendus sur l'état mental de Morane qui, on s'en souvient, avait été sérieusement secoué lors de l'accident ayant mis fin à la carrière sous-marine du *Trilobite*...

La réflexion de Morane avait jeté un froid parmi les naufragés. Une heure se passa sans qu'une seule parole ne fut échangée. Seuls, les crépitements du poste émetteur, sur lequel Palmer s'escrimait en vain, troublaient le silence.

Tout à coup, Bob se dressa et désigna un point sur la mer :

180

— Là-bas !... Un navire...

Tout d'abord, personne ne sembla le croire, mettant cette vision sur le compte de la commotion reçue. Bientôt pourtant, il fallut se rendre à l'évidence. Un bateau se dirigeait à toute vapeur vers le tank. C'était un cargo, et il s'approchait si rapidement que, bientôt, on put lire son nom, inscrit à la proue.

Une joie indescriptible empoigna les explorateurs. Une joie à laquelle s'associait d'ailleurs le colonel Kapek.

— Sauvé ! criait-il dans la langue de son pays. Sauvé !...

Car, en dépit des apparences, son allégresse avait une toute autre origine que celle de ses compagnons. Lui aussi avait pu lire le nom du cargo. C'était le *Hankau*...

CHAPITRE XVIII

Depuis le moment où, trois heures plus tôt, il avait posé le pied sur le pont du *Hankau*, Bob Morane rongeait son frein, ce qui voulait dire qu'il aurait volontiers envoyé le cargo et son équipage au fin fond de l'enfer, et même plus loin encore si ç'avait été possible.

Soulevé par les puissants mâts de charge, le *Trilobite* avait été hissé hors de l'eau et déposé au fond de la cale aménagée exprès pour le recevoir.

Assis au beau milieu du pont, devant Morane, Kearney, Harambur, Olsen et Palmer, debout eux, Kapek, le capitaine et Urga jouissaient de leur triomphe. De chaque côté du groupe des prisonniers, un marin se tenait, braquant une mitraillette.

— Avouez, messieurs, dit Kapek, que le Ciel était pour nous. Nous avions tout préparé, là-bas, aux îles Caicos, pour vous recevoir dignement, et voilà qu'un accident force le *Trilobite* à faire surface sans pouvoir rejoindre sa base.

Naturellement, tout semblait perdu pour moi. Pourtant, la chance était décidément de mon côté, car ce bon vieil *Hankau* croisait justement à ma recherche...

— Oui, fit le capitaine en fort mauvais anglais. Nous croire fusées de signalisation du bathyscaphe pas fonctionné. Alors, nous chercher bathyscaphe et, au lieu de lui nous trouver *Trilobite*. Ha, ha, ha !

— Prenez garde, capitaine, fit Bob avec hargne. Un jour j'ai vu un homme rire comme vous le faites. Jamais il n'a pu s'arrêter et on a dû lui couler du plomb dans la bouche pour le faire taire. J'aurais beaucoup de plaisir, je dois l'avouer à ma grande honte, à vous couler du plomb dans la bouche, capitaine...

Comme mû par un ressort, l'interpellé se dressa, menaçant. Il fut sur le point de se précipiter sur Bob, mais le colonel Kapek le retint.

— Laissez, capitaine, dit-il. Le commandant Morane est un audacieux, et je ne voudrais pas que vous l'abîmiez. Bientôt, notre pays aura besoin de gens de sa trempe pour se lancer à la conquête du monde...

Bob se mit à rire doucement.

— Vous pourriez me plier en huit dans le sens de la longueur, colonel Kapek, dit-il, jamais je ne servira votre pays. J'aimerais autant avaler une tonne de choucroute et en mourir...

Une expression méchante apparut sur le visage de l'officier.

— Nous possédons les moyens de mater les plus coriaces, commandant Morane. Quelques mois passés en cellule avec, de temps en temps, une bonne petite injection de scopolamine...

— Et si le patient résiste au traitement? interrogea encore Bob.

Urga intervint, un rictus cruel sur sa face plate.

— Patient jamais résister, dit-il. Et si lui résister quand même, nous...

L'Asiate se passa un doigt sous le menton, d'une oreille à l'autre, ce qui, dans tous les pays du monde, signifie couper une gorge. Morane ne répondit rien. Il devinait que la conversation en était arrivé à ce point critique où le silence devient la meilleure assurance contre la mort. Néanmoins, il ne put s'empêcher de songer:

« Parle toujours, gros plein de soupe. Un jour, nous aurons peut-être l'occasion de nous trouver seuls, face à face, entre quatre murs, et nous verrons alors lequel de nous deux coupera la gorge de l'autre... »

— Je suppose, dit Kearney, que vous comptez nous réserver un sort semblable à celui de notre ami...

Le colonel Kapek hocha la tête affirmativement.

— Nous aurons besoin de vous, professeur. Un physicien de votre valeur pourra nous rendre de grands services. Vos autres compagnons seront bien reçus également dans notre grand pays. Nous savons employer toutes les compétences...

184

Kearney haussa les épaules.

— A quoi pourrais-je encore vous être utile ? demanda-t-il. Vous avez le *Trilobite* et vos chimistes pourront analyser le kearnalumine. Vous pourrez également étudier les radiors et en fabriquer d'autres, de nombreux autres. Sachez, de toute façon, que je ne travaillerai pas pour votre pays. Tuez-moi tout de suite, cela vaudra mieux...

Avec un cri de rage, Urga se leva, les poings serrés devant sa poitrine de taureau.

— Assez parlé, chiens ! hurla-t-il. Vous esclaves !... Vous ramper comme esclaves !...

Le professeur Harambur fit un pas en avant et, de son énorme poing, frappa l'Asiate à la mâchoire. Urga bascula en arrière et s'écroula sur le pont, le visage ensanglanté. Il se releva péniblement et s'apprêta à se lancer sur Harambur. Pourtant, se rendant compte sans doute qu'il n'aurait pas le dessus, il s'immobilisa.

— Dans mon pays, grogna-t-il, pas se battre avec les esclaves. Eux être fusillés...

Il se tourna vers l'un des deux matelots armés de mitraillettes et lança un ordre bref. L'homme leva son arme et visa Harambur. Déjà Bob s'apprêtait à bondir quand, tout à coup, quelque chose d'incroyable se passa. Le cargo sembla heurter un mur. Une violente détonation déchira le silence, et le *Hankau* donna violemment de la bande, pour se mettre aussitôt à s'enfoncer doucement.

Un bref moment de surprise avait succédé à la déflagration. Morane cependant ne fut pas long à réagir. Reprenant son aplomb, il échangea un bref regard avec Harambur, lui désigna l'un des matelots qui, pour le moment, avaient oublié les prisonniers. Déjà, Bob bondissait lui-même, foudroyant l'un des gardes d'un crochet du droit à la mâchoire. Le biologiste avait, de son côté, mis son adversaire hors de combat. Les deux hommes s'emparèrent des mitraillettes, pour en menacer le colonel Kapek, le capitaine et Urga, renversés tous trois par le choc.

— A la passerelle! hurla Morane. A la passerelle!...

Protégés par les mitraillettes, les prisonniers gagnèrent l'escalier menant au poste de pilotage qui, déjà, avait été abandonné par ses occupants, car le cargo était en train de sombrer. Sur le pont, les hommes couraient, mettant les canots à la mer.

— Que s'est-il passé? interrogea Harambur, quand les cinq hommes furent enfermés dans le poste.

Bob tourna vers le biologiste un visage à la fois souriant et grimaçant.

— Nous avons heurté une de vos mines flottantes, tout simplement, professeur... Bénies soient les mines flottantes!...

En bas, les canots étaient sur le point d'être

largués. Morane vit le colonel Kapek se tourner en direction de la passerelle, pour hurler:

— Toutes les embarcations sont à la mer. Si vous ne nous accompagnez pas, vous mourrez noyés...

Du canon de sa mitraillette, Morane fit voler en éclats la baie vitrée du poste.

— Allez au diable, Kapek. Nous mourrons heureux loin de vous...

— Tant pis, commandant Morane, vous l'aurez voulu!

Les canots glissèrent à la mer et s'éloignèrent à force de rames. Le pont du *Hankau*, qui s'enfonçait de plus en plus, était à présent désert. Bob ricana.

— Mourir, dit-il, c'est une façon de parler... Vous, John, gagnez la cabine de radio et lancez un S.O.S.... Les autres, tâchez de trouver un engin quelconque capable de flotter...

Tous obéirent, sans tenter un seul instant de discuter les ordres de Bob. Ce dernier prit la barre, pour essayer de redresser le cargo, mais celui-ci ne gouvernait plus. Tout était bien fini. Avant longtemps, le *Hankau* irait prendre sa place dans le cimetière sous-marin, au fond de la mer des Sargasses et, avec lui, le *Trilobite*. Ainsi, des jours d'efforts, de recherches et de souffrances seraient réduits à néant. Non seulement le *Trilobite* serait perdu, mais avec lui les collections de minerais et de spécimens archéologiques...

Là-bas, le soleil disparaissait derrière la ligne d'horizon et, pendant une fraction de seconde, la brève fulgurante du rayon vert illumina le ciel. Les canots n'étaient plus déjà que de petits points noirs perdus dans l'immensité marine.

Palmer jaillit de la cabine de radio en criant :

— J'ai réussi à contacter Hamilton, aux Bermudes. Je leur ai donné notre situation approximative. Ils vont envoyer un hydravion à notre recherche...

D'un geste las, Morane désigna l'avant du navire, qui s'enfonçait toujours davantage sous les flots.

— Ils arriveront trop tard. Le plus important, pour l'instant, serait de trouver un engin quelconque, capable à la fois de flotter et de nous porter...

A peine venait-il de prononcer ces paroles que Kearney, Harambur et Olsen faisaient irruption dans le poste d'équipage. Les deux premiers traînaient un lourd paquet.

— Voilà tout ce que nous avons trouvé, fit Harambur. Un grand dinghy avec sa bonbonne de bioxyde de carbone, permettant de le gonfler instantanément.

— Et moi, j'ai découvert ceci, dit Olsen.

Un pistolet lance-fusées dans son étui, avec ses munitions. Bob désigna la mer.

— Dépêchons-nous de nous éloigner du navire, dit-il. Il ne tardera pas à s'enfoncer sous les flots. Mieux vaut ne pas courir le risque d'être saisis par les tourbillons...

CHAPITRE XIX

Durant toute la nuit, le dinghy dériva, portant les cinq naufragés. A différentes reprises, un avion avait survolé les parages. Chaque fois, Bob Morane avait signalé la position du canot en tirant une fusée de couleur.

Le jour se leva. Une lourde torpeur avait saisi les hommes, due davantage à l'échec de l'expédition qu'à la fatigue. La veille, comme ils s'éloignaient du *Hankau*, ils avaient vu celui-ci disparaître sous les flots, entraînant avec lui le tank et les trésors archéologiques qu'il contenait. Pour les cinq explorateurs, c'était un peu comme si un très vieil et très cher ami venait de mourir.

Le premier, Harambur se secoua.

— Non, dit-il, tout compte fait, notre expédition n'aura pas été un échec. Bien sûr, tout le résultat en aura été perdu. Mais nous avons contemplé des choses qu'aucun homme n'a contemplées avant nous. Nous avons découvert l'Atlantide, ne l'oublions pas...

Le biologiste se tut. Ses paroles avaient rappelé à ses compagnons et à lui-même la destruction d'Aztlan et, à nouveau, une insurmontable tristesse les envahit.

Un ronronnement puissant coupa court à leurs regrets, et un hydravion apparut dans le ciel, se rapprochant rapidement. Un gros Catalina de l'aéronavale britannique. Il se posa à peu de distance du dinghy et, quelques minutes plus tard, les cinq rescapés montaient à bord. Le pilote, qui les reçut, était un Écossais au teint fleuri, à la moustache imposante. Il apprit à Morane et à ses compagnons que, au cours de la nuit précédente, un contre-torpilleur de la base d'Hamilton avait recueilli l'équipage du *Hankau*, dont les membres avaient été placés sous bonne garde. Cette nouvelle rasséréna Kearney.

— Allons, dit-il, maintenant que nos ennemis ont été mis hors d'état de nuire, nous pourrons construire un nouveau *Trilobite* et repartir. Il y a encore pas mal de choses à glaner là-dessous. Ryleh, elle, n'a pas été détruite, ne l'oublions pas.

Le physicien se tourna vers Morane.

— Serez-vous à nouveau des nôtres, Bob ?

Morane regardait droit devant lui. Il ne semblait pas avoir entendu la question de Kearney.

— Peut-être, dit-il à voix basse, quand j'aurai récupéré mon voilier, réussirai-je finalement à la découvrir...

— Ah ça ! s'exclama Harambur. Que vient

190

faire votre voilier là-dedans, et quelle est cette chose que vous espériez découvrir?

Morane sursauta.

— Excusez-moi, fit-il, je me parlais à moi-même. Je pensais à mon île déserte. S'il en existe encore une de par le monde, je finirai bien par la dénicher. Il faut que je la déniche!

Le Catalina avait décollé. Il prit de la hauteur. Par le hublot, Morane contemplait l'étendue morne et plate de la mer des Sargasses. Là, en dessous, par quelque trois mille six cents mètres de fond reposaient les ruines de la légendaire Atlantide. Pourtant, Bob ne cessait de songer à son île déserte.

— Il me faut la découvrir, murmurait-il sans cesse. Il me faut la découvrir...

DU MÊME AUTEUR

aux Éditions du Lombard
BOB MORANE en B.D. :

Illustré par William Vance

1. Les géants de Mû
2. Panne sèche à Serado
3. Les sept croix de plomb
4. Les sortilèges de l'Ombre Jaune
5. Le temple des dinosaures
6. Les bulles de l'Ombre Jaune
7. L'empreinte du crapaud
8. L'empereur de Macao

Illustré par Coria

9. Opération Wolf
10. Commando épouvante
11. Les guériers de l'Ombre Jaune
12. Service Secret Soucoupes
13. Le président ne mourra pas
14. Les chasseurs de dinosaures
15. Une rose pour l'Ombre Jaune
16. La guerre des baleines
17. Le réveil du Mamantu
18. Les fourmis de l'Ombre Jaune
19. Le dragon des Fenstone
20. Les otages de l'Ombre Jaune
21. Snake
22. Le Tigre des Lagunes (juillet 89)

Si ce roman vous a plu et si vous désirez obtenir
des renseignements sur BOB MORANE,
vous pouvez écrire à l'auteur à l'adresse suivante :

HENRI VERNES

Éditions Fleuve Noir

6, rue Garancière

75278 Paris Cedex 06 (France)

INDIQUEZ VOTRE ÂGE

Vous pouvez également devenir membre du

CLUB BOB MORANE

qui édite une revue consacrée à ce personnage.

Envoyez vos demandes d'adhésion au

CLUB BOB MORANE

68^A, rue des Buissons
4000 Liège (Belgique)

*Achevé d'imprimer en août 1990
sur les presses de l'imprimerie Cox and Wyman
à Reading (Berkshire)*

— N° d'impression : 8761. —
Dépôt légal : septembre 1990
Imprimé en Angleterre